JN094360

中国は嫌々ながら世界覇権を握る

副島隆彦
Soejima Takahiko

China will Unwillingly Gain World Hegemony.

ビジネス社

中国は嫌々(イヤイヤ)ながら世界覇権を握る

まえがき

中国人がいま本気で考えていること

この本の書名は「中国は嫌々（イヤイヤ）ながら世界覇権を握る」である。なぜ中国が「嫌々ながら世界覇権を握る」のか。そのことを説明することから始める。

大きく言うと、ウクライナ戦争はロシアが勝つ。今のような戦争状態はもう続かない。何らかの形の停戦がある。停戦が破られてもどうせ膠着（こうちゃく）状態になる。

世界が第3次世界大戦に入り、核戦争の可能性もある。この問題については、後ろのほうで書く。

ヘンリー・キッシンジャー博士がちょうど100歳で死んだ（11月29日）。この人が世界皇帝であったデイヴィッド・ロックフェラーの代理だった。

キッシンジャーは、2023年7月19日に北京へ向かい、このあと更迭された李尚福国防部長と会っている。

「100歳キッシンジャー氏、軍同士の対話復活探る 中国国防相と会談」

米国のキッシンジャー元国務長官が中国を訪問し、7月19日に北京で李尚福国務委員兼国防相と会談した。李氏が米国の制裁対象となっていることが、米中が国防分野での対話を再開できない大きな要因となっているが、中国側は米国の対応次第で再開の意図があることを改めて示した。

キッシンジャー氏はニクソン米政権の大統領補佐官として極秘訪中し、米中の国交正常化に道筋を付けた立役者。100歳となったキッシンジャー氏は現在の米中関係の緊張に危機感を持っており、2019年に習近平国家主席とも会談するなどいまでも中国側からの信頼は厚い。

（朝日新聞　2023年7月18日）

100歳で死んだ。キッシンジャーが死んでも当分、核戦争は起きない

2023年7月19日。キッシンジャーは中国を訪問し習近平と会談した。それとともに李尚福国防部長とも会談。その後、何かあったかは不明。李尚福は解任された。

キッシンジャー博士が死んでも、当分の間は核戦争は起きない。なぜなら、核戦争を食いとめるためにヘンリー・キッシンジャーという大御所が存在したからだ。この構造はすぐには変わらない。だから大丈夫である。

2023年11月

副島隆彦

国防相の李尚福と外相の秦剛が解任された理由は、アメリカに籠絡されていたからである

秦剛は香港フェニックステレビの美人キャスター傅暁田（左）のハニートラップに見事に引っかかった。2人の家もあった。アメリカに情報を流していた。右下は10月に解任された李尚福国防部長。

第1章 中国が嫌々ながら世界覇権を握る理由

第2章 中国はマルクス主義と資本主義を乗り越える

第3章 中国と中東、グローバルサウスの動き

第4章 台湾は静かに中国の一部となっていく

第5章 中国経済が崩壊するという大ウソ

写真提供

共同通信：P95、211

時事通信：P83、169、203

ア フ ロ：P5、7、27、45、51、63、75（左上）、77、121、125、129、139、143、155、161、167、191、197

中国が嫌々ながら世界覇権を握る理由

目の前に迫るアメリカの没落

私は、中国がもうすぐアメリカを打ち倒して、世界権力を取ると、予測（予言）している。もうアメリカの没落と衰退は、目の前に迫っている。現に起きていることである。日本国内のほとんどの人間は、この真実を全く知らされていない。ツンボ桟敷（さじき）に置かれている。自分で直接、ニューヨークや、サンフランシスコに行って、街の様子を見てみるがいい。ちょっと都会の中心から外れたら、どれぐらい破壊と荒廃とが進んでいるかが分かる。特に中産階級の白人たちの急激な没落がすごい。記事を紹介する。

「『ゾンビドラッグ』乱用が米国で拡大　政府が対策を約束」

米政府は2023年7月11日「ゾンビドラッグ」とも呼ばれる動物用鎮静剤のキシラジンと、オピオイド鎮痛薬のフェンタニルを組み合わせたドラッグの乱用による死亡例が国内で相次いでいること受け、暫定的な対策を発表した。

1年ぶりの米中会談。双方とも仲良さそうに演出した。しかし、バイデンは習近平を再び「独裁者だ」と口走った。ボケが高じているのだろう

2023年11月15日、サンフランシスコの米中首脳会談で、バイデンは自分のiPhoneに保存していた、習近平が1985年に訪米した青年（32歳）の時のゴールデンゲートブリッジをバックに撮った写真（右）を見せた。習近平は、ただ苦笑いした。

米国では、「キシラジン」に関連した薬物過剰摂取による死者が急増している。特に併用されることが多いのがフェンタニルだ。連邦政府機関のデータによると、キシラジンが検出されたフェンタニル過剰摂取による死者は2019年1月から22年6月にかけて276％増え、薬物過剰摂取の死者全体に占める割合は2・9％から10・9％に増加した。

検査体制が不十分であることから、実際の数はこれよりも多い可能性が高い。

米疾病対策センター（CDC）のデータによると、米国では昨年、約10万9000人が薬物過剰摂取により死亡した。年間の死者数は2020年から15％近く増加し、初めて10万人を超えた。

（フォーブス誌　2023年7月12日）

私がこんなことを書いても、日本国内の出版文化（書店に本が並ぶ慣行）から見たら、どうということはない。日本では、アメリカ国内の真実は報道されない。

私は、自分の中国研究本を2007年から16年間ずっと、毎年1冊ずつ出してきた。第1冊目の書名は、『中国　赤い資本主義は　平和な帝国を目指す』（ビジネス社、2007年12

コロナウイルス騒ぎと同時に、ドラッグが蔓延している。これがアメリカの現実だ

アメリカは世界各地に干渉している余裕はない。ドラッグ、とりわけ「ゾンビドラッグ」と言われる麻薬がまん延している。そのため社会は機能不全に陥り、国家の分裂はますます進んでいる。

月刊）だ。

私にはその時から、やがて中国が世界覇権（ワールド・ヘジェモニー）を握ると分かっていた。アメリカ帝国の決定的な没落は、来年2024年の暮れから起きるだろう。

私のこの考えと予測に、

「何をバカなことを言っているんだ。アメリカが、そんなに弱いわけがないじゃないか。アメリカは、これからもまだ、世界を指導する。それに対して中国は、不動産不況から、経済崩壊がもうすぐ起きる」

と私に反発する者たちがいる。

彼らはいわゆる反共（産主義）右翼の人たちで、とにかく中国とロシアが大嫌いな人々だ。こういう反共右翼が、今の日本には1000万人（国民の10%）ぐらいいる。自民党の右派の政治家たちだけでなく、日本維新の会にも、それから野党の中にもいる。私は、彼らと真っ正面から議論したいが、出来ない。どうせ彼らは私を全く相手にしない。お互いの考え（世界観）が完全に食い違っているから、すなわち話にならない。

このことは、お互いに分かっている。私は、1000万人もいる彼ら日本の①**反共右翼**たち（その中心部分は、いわゆる統一教会である）を、自分が想定する主要な読者と考えない。

私がこの本を読んでもらいたいのは、**②生来の温厚な保守（派）の人々**である。彼らは、中国とロシアを少し嫌っているけれども、日本が生き延びていくためには、中国・ロシア、さらには韓国・北朝鮮とも仲良くしていかなければいけないと考えている。そういう人々に向けて、私はこの本を書いている。

私の真意を言うと、前述した**①の反共右翼**と、**②の穏やかな保守の人々**の間に楔を打ち込む戦略である。たまたまこの本を読み始めてくれたあなた自身は、一体、①と②のどちらなのか。このことを、自分に問いかけてください。

アメリカはもはや核ミサイルを打てない

まず、この本の中心となる私の主張を書く。

一番、単純に書く。目下行われているアメリカと中国との闘い（世界覇権争いだ）では、中国がもう勝った。だから、中国の勝ちである。アメリカの負けだ。だから、このあとアメリカが先に崩れる。

私たち日本人は、じっとして黙って事態の進行を見ていればいい。おそらく核戦争も第3次世界大戦も起きない。そんな心配をする必要もない。私はここまで断言調で未来予測をする。

アメリカのオンボロの50年前の核兵器は、発射できない。コロラド州を中心に、地下の穴の中に掘ってある核サイロ方式だ。移動型（大型トラックに載せる）はない。サターン5型の推進ロケットの先端に、核弾頭（ニュークレア・ウォーヘッド）と起爆装置をくっ付けてある。これと同じサターン5型で宇宙飛行士たちを飛ばして、今も地球の周りをグルグル回らせている程度だ。ISS（国際宇宙ステーション）には、いつもロシアの飛行士が2人乗っている。それ以上は、もうアメリカはできない。

通信用と軍事スパイ用の人工衛星の発達では、中国とロシアの軍事力よりもアメリカがずっと先を行っている、と20年ぐらい前までは威張れた。だが、今はもう中国のほうが先端の軍事用通信でもアメリカを乗り越えて先（近未来）に行っている。それが量子暗号通信（クアンタム・サイファ・コミュニケイション quantum cipher communication）である。

このことを、私の前著の中国本『習近平独裁は欧米白人（カバール）を本気で打ち倒す』で詳しく書いた。一応、アメリカとロシアで5000発ずつ核弾頭を持っていることにな

核戦争は起きない。アメリカが先に崩れる。だが、中国は攻撃を受けたら、迷うことなくアメリカに核ミサイルを打ち込む

中国のICBM（大陸間弾道ミサイル）東風41（ドンフェン、DF-41）。アメリカのミニットマンの1万3000キロを上回る射程1万4000キロ超を誇る。

アメリカで映画「オッペンハイマー」と「バービー」がヒットして、「バーベンハイマー」という造語が生まれた。マンハッタン計画の（米の原爆製造）の責任者のオッペンハイマー博士が、このあと水爆派（ロバート・テイラー）と争う内容。

っている。中国は400発と公表しているが、おそらく2000発ぐらい持っている。だから、今のところは、皆、ウクライナ戦争に続くガザ戦争（イスラエルとハマスの戦争）が、第3次世界大戦に繋がるのではないかと、世界中の一般国民(ピープル)が脅えている。私は、そんなことにはならない、と考える。

ロシアも中国も、アメリカの魂胆(こんたん)を見抜いている。インドもブラジルも、サウジアラビアも分かっている。他の貧乏大国（インドネシアやトルコの新興(しんこう)の地域(ちいき)大国。リージョナル・パウア）の指導者たちも分かっている。イギリスとアメリカのディープ・ステイト＝カバール（the Deep State ＝ Cabal）がこの後(あと)、何を画策して足掻(あが)いてやろうとしても、もう世界は騙されない。

アメリカの動きは、すべて読まれている。ディープ・ステイト＝カバールとは、英と米の超財界人たちと、軍需産業とリーガル・ギルド（regal guild、法曹(ほうそう)）の複合体のことである。

2023年11月15日、アメリカのサンフランシスコで開かれたAPEC(エイペック)（米が主導する。ASEAN(アセアン)と対立）が開かれた。そこで1年ぶりとなる米中首脳会談が行われた。記事を紹介する。

「習氏は「独裁者」、バイデン氏の見方変わらず 米中首脳会談」

米国のジョー・バイデン大統領と中国の習近平国家主席は、11月15日、米カリフォルニア州で1年ぶりに会談し、軍トップ同士の対話を再開することで合意した。だが、会談後の記者会見でバイデン氏が、習氏を「独裁者だ」と発言する一幕もあった。

バイデン氏は6月に習氏を独裁者と呼び、中国の猛反発を招いた。

一方、中国側は特に台湾問題をめぐり、バイデン氏に厳しい言葉を投げ掛けた。

中国外務省の声明によれば、習氏はバイデン氏に対し、「米国側は台湾を武装させるのをやめ、中国の平和的統一を支持すべきだ。中国は再統一を実現する。これを止めることはできない」と警告した。


（ＡＦＰ＝時事　２０２３年11月16日）

米中は、世界の安全のために、トップ同士が互いに仲良さそうな振りをしなければ済まない。おそらく、双方が言いたいことを言っただけの会談だっただろう。

緊張緩和（デタント）としての意味は持っただろう。本当の交渉の焦点は、双方が「台湾には手を出すな」と言い合ったことと、「中国はウクライナ戦争で、ロシアに支援物資を送るな」という、アメリカからの要求だった。

世界覇権が「棚からぼたもち」で中国のものになる

この本の後ろのほう（第4章）で書くが、台湾有事なんかない。起きない。もう、その危機は去った。いくらアメリカが、台湾人と日本人と韓国人を嗾けても、もうその手には乗らない。このことも、はっきりしてきた。

台湾の軍人の幹部の9割は、退役（定年）後、中国で、ビジネス（商売）をやっている。台湾人のほとんどは、中国と戦争をする気などない。このことも、もうはっきりしている。P176に、その証拠の記事を載せる。

いくら日本の①**反共右翼**たちが、台湾でもうすぐ戦争が起きるというようなことを言っても、そんなことはウソだ。アメリカの煽動だと、みんな分かってきた。それでも、日本

もはやアメリカは、ウクライナ問題に関わりたくない。ゼレンスキーは見捨てられる

2023年10月11日、ベルギーのNATO本部で開かれた国防相会議に出席したウクライナのゼレンスキー大統領（右）とアメリカのオースティン米国防長官（左）。ゼレンスキーは「ロシアと停戦交渉を始めろ」とガミガミ言われている。アメリカはウクライナ（ゼレンスキー）を捨て駒（ごま）にする気である。

のテレビの一部がまだ「台湾有事」と騒いでいる。

だから私は、中国はアメリカが崩れ落ちるのをじっくりと待って、虎視眈々と、その次のことを考えていると思う。その次とは、アメリカが崩れて、国家分裂を起こして、世界覇権を失ったあとだ。世界覇権（ワールド・ヘジェモニー）が文字どおり〝棚からぼたもち〟で中国のものになる。

ところが、何とそれを中国（人）は嫌がっている。驚くべきことだが、これが本当だ。自分の国の14・4億人（まだそのうちの8億人の農民は貧乏）を食べさせるだけでも大変なのに、世界人口80億人（２０２２年11月に突破した）もいる世界の面倒を看るのは本当に大変だ。こんなことはやりたくない。そんな大変な負担は引き受けたくない、と思っている。だから、この本の書名が「嫌々ながら」なのだ。それでも人類の歴史の法則として、帝国（エムパイア。世界覇権国）は、次の帝国に覇権（支配権、管理権、統治権）を移していく、という絶対法則がある。これを学問では原理（プリンシプル）という。

だから話は、ここから一気に進む。中国は、もう自分たちが世界支配権（一番上の権利）を握ったあと、そのあとどうするか、を本気で考えているのである。中国で一番上の、天才級に頭のいい人たちが、今、本気で考えていることは次のことである。

もう欧米白人たちの文明（シヴィライゼイション。世界4大文明の4つ目であるギリシャ・ローマ文明の後を継いだヨーロッパと北アメリカの文明）は、終わってゆく。そのあと、中国を中心にした新しい世界帝国による次の文明が生まれてゆく。これは、4大文明のうちの3つ目の黄河と揚子江（中国人は長江と言う）を中心とする文明の再びの隆盛、即ち復興である。1つ目の文明がチグリス・ユーフラテス川文明（メソポタミア文明、バビロン＝今のバグダッドが中心）。2つ目が、インダス・ガンジス川文明。そして3つ目が、中国を中心とする東アジア文明である。

日本は、この東アジア文明の一部である。もっとはっきりと書く。日本は世界から見たら中国人の一種（ア・タイプ・オブ・チャイニーズ）である。これを言うと**①の反共右翼**たちが激怒する。だが、そんなことは知ったことか。鼻で嗤ってやる。

私たち日本人は今も、こうして毎日、中国文（漢字）を使って暮らしている。このことを言ってはいけないのか。私は言うからな。日本は中国と共に、これから先の繁栄の時代を迎えてゆく。その準備を始めればいいのである。このように私は、人類の、次の次の段階のことを本気で考えている。核戦争なんか恐くないよ。

だから、**①の反共右翼**たちの「中国と戦うぞ」と言い続けるバカ（愚か者）たちは、もうすぐ消えていなくなる。歴史の藻屑（もくず）の中に消えてゆく。サッサと消えていなくなれ、ということである。

今さらこの私に、「副島は、本当に不愉快なやつだ」と思うお前は、そのお前自身が本当は**②の温厚な保守**であるのに、**①の反共右翼**に騙され続けて、引きずられて何十年も、自分の人生の年輪を作ってきた人間たちだ。反省するなら今のうちだ。

もう年齢から言って無理である。そういう老人たちもたくさんいる。だから私は、もっと若い50歳台から下の世代の日本人に期待している。私が先へ先へ進んで、新しいことをどんどん教えなければ、この国の知能（インテレクト）（intellect 思考力）が前に進まない。

「賃（ちん）労働と資本の非和解的（ひわかいてき）対立」という中国の大問題

中国が、アメリカから世界支配権（覇権（ヘジェモニー））を譲り受けたあと、即ち次の重大なテーマとは何か。核戦争と第3次世界大戦の危機と恐怖が過ぎ去ったあとだ。

社会主義思想を大成したカール・マルクスが1844年（25歳のとき）に大（だい）発見した「賃労働と資本の、人類にとっての非和解的な永遠の対立の原理（プリンシプル）」がある。こ

英米の主要ディープステイト・メディアも、ゼレンスキー切りを書き始めた

左は去年の2022年のアメリカの雑誌『TIME』の表紙。パーソン・オブ・ザ・イヤーに、「ゼレンスキーとウクライナの精神」が選ばれた。ところが、それからわずか1年後の同じく右の『TIME』（11月20日号）の表紙には「われわれの勝利を私以外は誰も信じてはいない。誰も、だ」と大きく書かれた。「開戦から2年、ウクライナ領土の5分の1をロシアが依然支配し、数万人が死んだ。世界からの支援は縮小している。ゼレンスキー孤独の戦い」と。この文章と写真の扱いの変化が、今の欧米である。ゼレンスキーはもうすぐ失脚する。

れを何としても部分的にでいいから、解明しないことには、中国は（あるいは人類は）先に進めない、という大問題だ。これが中国に出現しているのである。

中国の天才知識人たちと、政治指導者たちが、どうしても部分的でいいから、この賃労働と資本の相剋に解明（解決。ソルーション solution）を見つけ出さなければ、済まないのである。

なぜなら、中国がもうすぐ世界支配者になるからだ。その時、中国の労働者階級（人間の大多数がこれ）と、資本家（経営者、大金持ち層）との間の対立、相剋を部分的に乗り越える必要がどうしても有る。

これが、これからの人類（人間）にとっての一番大きな問題（主要主題、プライマリー・テーゼ）である。

ここで私は、読者に素朴に質問する。

「あなたは、自分の会社（組織）の中で、1資本（経営側、管理側）であるか。それとも、2従業員である労働者側の、どっちである（あった）か」

このことを、あなたは自分で自分に向かって問いかけねばならない。私はそれを逃がさない。ただし、3の自営業の人々は、これに該当しない。ただし、各種の自営業者のほとんどは大金持ちではない。だから、大体、②の賃労働者（ウエイジ・レイバラー）のほうに所属する。

これも簡単な理解で良いのだが、社会主義体制だったソビエトと中国では、会社（企業）に労働組合は無いことになっている。なぜなら社会主義革命が勝利した国では、労働者階級は、資本家による抑圧から解放されたので、労働組合は存在しない。無くてもよい。不要だ、ということになっているからだ。

それに対して、そんなバカなことはない。と西側（にしがわ）世界（先進資本諸国。G7体制）の人間たちは思っている。ここに日本も含まれる。だから、西側（ザ・ウエスト）は、中国やロシアを見下して、労働組合もないような後進国である、と見做（みな）している。これは、一応は真実である。

だが、日本なんか、大企業に労働組合が有ると言っても、実際には、何の役割も果たせずに、ほんのわずか年に数百円の賃上げ（基本給アップ）と待遇改善を、経営側（資本家）に要望するだけである。だから、労働組合が有るといったって、大したことは無い。

たとえば日本は、自由主義世界に属して、✖民主主義（〇民主政体（せいたい）が正しい、デモクラシーはイデオロギーではない。デモクラチズムという英語はない）である自分たちのほうが、中国やロシアより進んだ国だと思い込んでいる。ところが実際の日本は、32年間も不況（不景気）が続いて、賃金（月給）が上がるどころか、実質では下がり続けている。ほんとうに労働者（勤労者）がかわいそうな国だ。

このことをほとんどの人が自覚しない（しようとしない）で生きている。労働賃金こそが、実は物価の重要な指標である。この労賃という物価が、まだまだ下がっている。最低賃金が時給１０００円のまま、30年間変わらない（経済成長がない）という恐るべき国である。自民党独裁政治が続いている。

こういうおかしな国である。岸田首相自らが、「私は、企業が賃金を上げるために最先頭で闘う」というヘンな国である。おもしろい国だな、と私はひとりで呆れている。だから、日本と欧米が偉そうに、中国とロシアを見下していればいい、という考えはくだらないのだ。一言で言えば愚劣である。これは**①の反共右翼**たちの考えだ。

だから、これに対して「賃労働と資本の永遠の、非和解的対立」という問題を中国は、本気で目下、一番優秀な人々が考えこんでいる。この問題が部分的にでも解けない限りは、人類（人間）は、今よりは先へは進めない。

人類にとっての最大問題を解くべき時

今はまだ	こっちのほうが人類にとってより重要
GAFA（ガーファ）＋MS（マイクロソフト）がのさばっている。この巨大通信（つうしん）会社たちが物流（commerce／コマース）まで抑え、文化、教養も乗っ取った。テレビ、新聞、出版の激しい衰退 **スマホとYouTubeとSNS**	wage labour（ウエイジ・レイバラー）賃労働者 vs. と kapitalist（キャピタリスト）資本家 の非和解的対立 カール・マルクスが1844年（24歳）に『経済学・哲学草稿（そうこう）』で発見した原理（プリンシプル） Das Prinzip : der unversohnliche Gegensatz zwischen Lohnarbeit und Kapital ダス・プリンツィープ：デア・ウンフェアゼーンリヒェ・ゲーゲンザッツ・ツヴィッシェン・ローンアルバイト・ウント・カピタール
通信機器にすぎない。半導体も電子デバイスだ。monozukuri（ものづくり）、製造業は全て中国が中心	この人類の最大難問を、中国に出現する大天才たちが200年ぶりに部分解明（解決）するだろう。もう核戦争とWWⅢなんか怖くない。

○メタとは、基本、土台（下のほう）のことだ。
×形而上学（けいじじょうがく）は誤訳。

Meta-physica メタフィジカは、Phisica（自然学、物理学）のあと（after）に書かれたが、学問の土台、基礎のことだ。
そして、イデア（Idea）（思考、霊魂）＋ロゴス（logos）（言葉、理論）＝イデオロギー（ideology）

©副島隆彦

人権は平等だが、個人の能力は平等ではない

たかが、通信屋でスマホ屋の、半導体づくりの先端産業の連中が、最新式のスマホと動画配信サービスで偉そうにしている。こんなものは、ただのテクノロジーの進歩であって、「文明の利器（りき）」が進むだけのことで、大したことではない。

いくら人類の大半の人々が欲しがるからと言って、自動車が空を飛んで〝空飛ぶタクシー〟になったからといって、何がすごいことなのか。そのうち、実証実験で、いっぱい墜落してテストパイロットたちが死ぬだろう。それでも人類は、空飛ぶ自動車が大好きだろう。かつての鉄道と飛行機の発達の歴史と同じことを繰り返す。

そのあとは、〝エネルギーの解放〟と称して、石油や原子力に頼らなくても、水素エネルギーの自由な取り出しで、モビリティー（移動手段）が作れる社会になる。水と空気から、エネルギーを作り出す技術をすでにトヨタは持っているようである。

トヨタが主導して、これまでの東京モーターショウを、ジャパン・モビリティ（移動手段）ショウに変名した。バカみたいな高価なスーパー・カーは消えつつある。地方のシェアラ

イディング（乗り合い）の時代だ。

それらの技術の進歩よりは、一番重要なのは、やはり「賃労働と資本の対立」を部分的に解決することを、人類は考え付かなければならないのだ。それができなければ、人間が前の方向に進む（ゴー・フォワード、プログレス）ことにならない。

この「賃労働と資本」の問題は、「人間は皆平等である」という概念（イデア）とは、ちょっと違う。人間は、憲法が保障する人権（ヒューマン・ライツ）の取り扱いにおいて、法的に平等である。実際にそうである。人間は法の下で平等（日本国憲法第14条）なのである。

だが、しかし、実際の現実の世界で人間が平等である、ということは無い。人間は実際には平等ではない。なぜなら生まれたときから、親の収入と人生環境と、能力と身体的特長（美人か、醜いか。あるいは障害を持って生まれるとか）の差別、区別は、どうしてもある。

これは人間存在が、生まれながらの運命によって支配されているからである。そこまで、みんな平等にしろ、と言うことを主張してはならない。すなわち、ひとりひとりの人間の能力は、平等ではない。このことを、ハッキリとさせなければならない。人権は法的に平等だが、個人の能力は平等ではない。

やっぱり『人間不平等起源論』（1755年）を書いたジャン・ジャック・ルソーが一番問題だ。ルソーが悪かった。ルソーが、「人間は皆、平等であるべきだ。王様も、都市市民も農民も、本来、生まれたときには、平等だ」と主張して煽動した。このルソーの思想と理論によって、本当に、フランス大革命（1789年7月4日）が実際に起きた。

フランス革命は、このあと多くの人間が死んで、血だらけの大混乱となった。それでも、このフランス大革命 Le Grande Revolution de la France, 1789 は、人類の歴史の進歩の偉大な記念碑となり金字塔となった。

ジャン・ジャック・ルソーは、『人間（は）不平等（にさせられた。その）起源（を解明する）論』（1755年刊）で、「人間の本性は善であるのに、それが、過酷な歴史の中で権力者（力の強い者。富める者）を生みだし、他の多くの人間を、虐げて支配するようになった」と書いた。本文を引用する。

――人間の邪悪さ

人間は邪悪な生き物だ。生きてゆく上での苦の無惨（苦労）が、このことを証明している。しかし、それでも人間の本性（ネイチュア）は善であり、私はこのことをずっとこの論文（本）で証明した。人間をこれほどまでに堕落させた原因は、人間の構成に発生した変化と、人間が行ったさまざまな進歩と、人間が獲得した諸知識にある。人間の社会をいくら賛美したところで、社会に生きる人間は、互いの利害関係が強まるにつれて、憎みあう。表面的には奉仕しあっているようにはみえても、実際には互いに考えられるかぎりの悪をなしあっている。このことは、否定できない事実だ。

商業取引において個人の理性がみずからに教える掟（ルール）は、「公共の理性が社会という集団に教える掟」とは正反対のものである。そこでは各人は他人の不幸のうちに利益をみつける（引用者注。商人同士はずっと騙し合いである）。このことを、いったいどのように考えればよいか。欲深い相続人（そうぞくにん）である子供たちが、ひそかに、富裕者である父親の死を待ち望んでいる。船が難破したときに、その知らせを吉報（きっぽう）としてうけとる商人がたくさんいる。悪意をいだいた債務者（負債者（ふさい））は、「自分の借金が」書類（契約書）ごと燃えてしまうことを願っている。同じように、隣国の民族の災難を喜ばない民族はいない。

このようにわたしたちは同胞の損害のうちにみずからの利益をみつける。ある者が破滅すると、ほかの者が富み栄える。

（前掲書から）

ルソーのこの書き方が、当時のパリ（1780年代）という、世界一豊かな大都市である理想主義（アイデアリズム）に狂った貴族、都市市民たちから圧倒的な支持と賛同を受けるようになった。革命が起こった。

そして、この本（論文）の結論として、ルソーはこのように書いた。

結語

わたしはこの論文（本）で、①不平等の起源とその後のなりゆき、②政治によって統治される社会（ソサエティ）の設立と、その弊害を、③人間の本性から取りだすことができるかぎり、すなわち理性の光だけによって説明するよう努めてきた。だから、至高の権威［である王権］が、神の法（ディビニティ）によって認められたものであるという神聖な教義［キリスト教神学］とは独立した議論を、（私、ルソーは本書で）進めてきたのである。

この論文（本）から明らかになったことは、①自然状態（ナチュラル・コンディション）

においては人間の不平等はほとんど存在していなかったこと、②人間の精神の発達と人間の能力の開発とから、不平等が力を増し、拡大してきたこと、③最後に、私的所有権(プライヴェット・プロパティ・ライト)と法の確立によって④不平等が確定し、合法的なものとなった。

さらに社会的な人間不平等は、実定法(ポジティブ・ラー)だけによって認められた。それは自然法に反するものであることも私は示した。たとえば障害者に生まれるとか(持って生まれた)自然な不平等(引用者注。)でない場合は、この自然な不平等と社会的な不平等の区別は、あらゆる文明国を支配している不平等について、これからはどのように考えるべきかを、はっきりと私は示した。

自然法(ナチュラル・ラー natural law)をどのように定義したとしても、(現実の世界では)子供が老人に命令したり、愚者が賢者を指導したり、多数の人々が暮らすにも事欠いて飢えている。ごくわずかな人々(富める者たち)は余分なものを山ほども抱えている。このことは、どのように考えても自然法に反することだ。

(『人間不平等起源論』光文社文庫 原著1755年、日本語訳2008年。翻訳者中山元)

ルソーのこのような過激な平等主義（エガリタリアニズム egalitarianism）の理念が、この直後のフランス大革命を指導し、煽動していった。そしてそれが、1844年のカール・マルクス（25歳）に伝わり（後述する）、そして、その73年後のロシア革命（ボリシェビキ革命。レーニンが指導）、そして、中国革命（1949年建国。毛沢東が指導）へとつながった。そしてこれらの人類の大実験は大失敗した。

それに対して、ヴォルテールというもう一人のフランスの大思想家が、「ルソー君の主張は危ない。あまりにも危険である。もし、彼の主張を真に受けて、急激に実現しようとしたら、フランス社会は大変なことになる」と見抜いて批判した。そして若いルソーを警戒した。ヴォルテールはルソーよりも18歳年上である。

2人とも啓蒙思想家（エンライトンメンティスト）として社会契約説（ソウシアル・コントラクト・セオリー）の当時のヨーロッパの2大巨頭の大思想家だ、と、今でもされるが、あれから230年の年月を経て、やはりヴォルテールが正しかった。

人間の能力差をハッキリと認めたうえで、生来の能力のある人間を人々（民衆）が尊敬して、上に押し上げて、資本家（大企業経営者）としてだけでなく自分たちの代表（レプレゼンタティブ。政治指導者）にするという政治体制を本気で実現しなければいけない。これを本当のデモクラシー（選挙による民衆政治体制。民主政体）という。✕民主主義は誤訳である。

この制度思想を、中国とロシアは採用していない、ということはない。中国もロシアも本当のデモクラシーを実現しようと苦闘している。

それに対して、イギリスとアメリカを中心とする西側（Ｇ７体制）は、自分たちは立派なデモクラシーだと思い込んでいる。だが実際には、自分たちの上から、ディープステイト（超財界人たち）が支配しているではないか。そんなことは無い、ということにして成り立っているだけだ。

簡単な話、日本もデモクラシー（民主政体）の国だ、と言うことになっている。しかし、戦後、ずっと自民党という一党独裁政党が、グダグダと支配している。正確には１９５５年からの「55年体制」で自由党と民主党が合体して今の自由民主党ができた。だから中国人たちは、「一体、日本のどこがデモクラシーだ」と素朴に思っている。中国共産党と同じではないかと。

李克強の死

話を現在に戻す。

２０２３年10月27日、前の首相で共青団（中国共産主義青年団）のトップを務めた李克強（リー・クーチアン）が心臓発作で68歳で死去した。記事を載せる。

「急逝した李克強氏　率直な発言のエリート宰相 小沢一郎氏の自宅にホームステイしたことも」

２０２３年10月27日に急逝した中国の李克強前首相は、経済に明るいエリート宰相として期待されたが、首相任期の終盤では路線対立のあった習近平国家主席に冷遇された。

李氏は、２０２０年春に、「中国では月収１０００元（約2万円）の人が今も6億人いる」と言及し、習氏が強調していた「脱貧困」の成果に疑問を投げかけた。新型コ

李克強が死んだ(68歳)。中国人は気にとめない。善人(ぜんにん)指導者の共青団(きょうせいだん)の時代は2030年代からだ

「中国・李克強前首相が死去　68歳、休養中に心臓発作」

　中国の李克強前首相が10月27日、上海で死去した。68歳。死因は心臓発作だった。中国国営中央テレビ（CCTV）によると、李氏は最近、上海で休養していた。心臓発作のため26日に容体が急変し「救命に全力を尽くした」が、27日午前0時すぎに亡くなった。（日経新聞　2023年10月27日）

　11月2日、李克強の告別式が行われた。李夫人の程虹(ていこう)は習近平と手を握った後、顔を横にそらした。程虹は文学博士号を取得し首都経済貿易大学教授を務めるインテリである。

ロナウイルス対策でも、2022年春に上海市がロックダウン（都市封鎖）されて経済への影響が拡大するなか、李氏は過剰な防疫対策の合理化を主張した。しかし習指導部は厳しい行動制限を伴う防疫措置「ゼロコロナ」政策を堅持し、同年末まで混乱が続いた。習氏の行きすぎた政策に歯止めをかける役目を担ったとの評価がある。

日本との関係も深かった。若いころたびたび来日し、小沢一郎衆院議員の岩手県の自宅にホームステイした。

最後の表舞台となった全人代の政府活動報告では、全体の半分以下に省略して演説するなど健康不安説があった。

3月に首相を退いた際に「人の行いは天（ティエン）が見ている」と公務員を激励した言葉も改めてネット上で話題となった。習氏を批判した言葉とも受け止められ、当局が拡散を制限している。国営中央テレビの夜のニュースは、李氏の死去ではなく、習氏や李強首相の動静を先に伝えた。

（東京新聞　2023年10月27日）

李克強が率（ひき）いてきた共青団の今後が重要である。後継者である胡春華（こしゅんか）は、いかにも善人さまのボンボン風で、習近平とケンカをする気もない。もうひとりのリーダーの周強は、さっさと最高人民法院（日本の最高裁判所に相当）の院長になっていった。現在は中国人民政治協商会議全国委員会の副主席だ。

共青団の勢力は、今の習近平体制に逆らわない。権力闘争はしない。共青団は、小学校の頃からの勉強秀才ばっかりの集まりで、中国共産党の中のエリート集団だ。ソビエトのピオニール（少年共産主義者）の真似である。

だが、この者たちでは、これからの数年間の、英と米が支配する超財界人たち（いわゆるディープステイト）との厳しい戦いに耐えられない。だから、後述するように核戦争も出来る習近平に、あと3年（2027年10月まで）はやらせる、と長老たちと決めたのだ。

そのあと、共青団系は、共産党から平和的に集団脱党して、中国民主党を作るだろう。これで、中国は複数政党制（マルチ・パーティ）の国となる。そして、普通選挙（ユニヴァーサル・サフリッジ）が行われて、共青団（中国民主党）が政権を握る時代が来るだろう。このことを、私は自分の中国本の前著『習近平独裁は欧米白人（カバール）を本気で打ち倒す』（ビジネス社）で詳しく説明した。

まだ、この考え（予言）を理解してくれるほど頭のいい日本知識人は現れない。私は静かに待っている。こう考えないと、大国中国の政権中枢の、今のあまりもの静かさと落ち着きを理解できないではないか。そうでしょう。今の中国人は、ものすごく頭がいいのである。

アメリカに通じた大物たちの〝落馬〟

この本の「まえがき」に載せた2人の中国の新指導者の李尚福国務委員兼国防部長と秦剛外相が相次いで解任された。任命されたばかりだった。

さまざまな憶測が報道された。真実は、アメリカに通じていたことがバレたのである。だから、本当にがっかりしたのはアメリカ側だ。せっかく大量の努力をして、中国の上層部まで網を張って、自分のほうに取り込んだのに、残念でした。

秦剛は中国外交部（外務省のこと）で、王毅中央政治局委員と反目し合っていた。これからアメリカと激しくやり合っていかなければならない立場なのに、相手に女問題とかで弱みを握られていたら、中国の内部統制機関である党中央規律検査委員会に、摘発されるのは当然のことである。記事を紹介する。

「中国、李尚福国防相を解任 在任わずか7カ月、理由不明 汚職疑惑も」

中国の全国人民代表大会（全人代＝国会に相当）常務委員会は2023年10月24日、李尚福国務委員兼国防相を解任する人事を決定した。7月に外相を解任された秦剛氏について兼務していた国務委員の役職も解いた。中国中央テレビが伝えた。

李氏の後任は発表されなかった。秦氏の外相解任と同様、李氏も就任からわずか7カ月での交代となった。解任の理由は不明だが、8月下旬に動静が途絶えてから、兵器の調達を巡る汚職などさまざまな臆測が飛び交っていた。

（毎日新聞 2023年10月24日）

中国の不動産価格は落ち着いていく

中国政府は、恒大（こうだい）の処理と同じで、碧桂園（へきけいえん）も破綻させない。倒産させない。破産（バンクラプシー）（法）

処理もしない。住宅ローンの契約者で、部屋の購入予定者たち（既に頭金で3割払っている）を守って、契約通り完成させて建物の部屋を引き渡すことを最大目標にしている。今の中国政府は本当に頭がいい。

だが、以下の記事にある米ドル建ての社債は、すでにデフォールトしている。いくら碧桂園が返済計画を発表しても、一切、償還（リデンプション）されないだろう。ということは、米ドル建てで、ニューヨークで起債（発行）しているから、アメリカの投資家（強欲人間）たちが、その半分ぐらいを買っているだろうから、彼らが大損する。

碧桂園グループは、広東省の仏山市にある〝中国最大のバブル不動産屋〟だ。この動きでニューヨークの債券市場が動揺して、ここからも米国債の暴落（今の10年物の長期金利が5%から8%になる）につながる。

戦々恐々としているのはNYだ。だから、日本国内で反中国メディアどもが中国の不動産市場の崩壊から、中国経済が破綻する、と喧伝しているのはウソだ。いつもいつもの「中国が崩壊する論」だ。バカたちの願望だ。

碧桂園（へきけいえん）、恒大（こうだい）が潰れたら国有企業が引き継ぐ。不動産価格が2～3割安くなったほうが、中国社会にとっていい

碧桂園の米ドル債だけがまずデフォールトした（2023年10月25日）

（注）24年1月償還米ドル債。（出所）リフィニティブ

中国の大手不動産開発業の碧桂園と最大手の恒大が経営危機になっても、契約者の大厦（ダーシャ）（タワーレジデンス）は政府が完成させる。アメリカ（ニューヨーク）で発行された米ドル建ての、2社の社債だけが、償還不能（デフォールト）になった。欧米投資たちが300億ドル（4.5兆円くらい）の打撃を受けている。

「中国・碧桂園、高まる不安　米ドル債利回り3000％超」

不動産市場調査の克而瑞研究センターによると、2022年の不動産販売額で碧桂園は3569億元（約7兆円）で中国トップだった。開発したマンションの近くに語学などで知名度の高い私立学校などを招致し、教育熱心な中高所得層の購入を誘う戦略でブランドを確立した。

株式・債券市場は同社の先行きを危惧。株式時価総額は223億香港ドル（約4100億円）とピーク時の2018年1月から9割超減少し、株式売買停止前の恒大（217億香港ドル）並みの水準に縮小している。人民元債は14日から売買停止となった。米ドル債の流通利回りは11日に3000％を突破した。

碧桂園の債務総額は1兆4348億元（約30兆円）で、このうち住宅の引き渡しが済んでいない顧客に対する「契約負債」が6681億元（約13兆円）を占める。中国政府は住宅の引き渡しを最優先課題としており、経営再建には債券など金融債務の再編は避けられない。碧桂園は「様々な債務管理の措置を採ることを検討する」としている。

（２０２３年８月15日　日経新聞）

こんな程度で、中国社会が動揺することはない。

民衆にものすごく遠慮している中国共産党

中国共産党の指導者たちは、実際には、中国民衆（人民）に、ものすごく遠慮しているのである。中国に行って中国人たちのふるまい（言動）を見て聞いていると、共産党は民衆に対して、少なくとも表面上は、平身低頭して、卑屈なぐらいに一般国民（人民）に対して、低姿勢である。しかし、下級の公務員（共産党員）たちは、各種の税金を取り立てて、中国民衆をイジめている。

共産党の悪口を人民（民衆）が、ブツブツ言うことを、共産党自身はよくよく分かっていて、習近平以下、みんな民衆にえらく気を使っている。こういう視点を日本人は共有していない。

今から11年前の２０１２年10月に、党大会の翌日、習近平が最高指導者（党の総書記になった）として登場したときに、疲れ切った顔をしていた。その直前に薄熙来のクーデターが有ってこれを鎮圧したばかりだったからだ。この時、習近平が言った。

「共産党も反省するから、人民も一所懸命がんばって、共に中国を復興させよう」としんみりとした感じで演説した。

そういうことが外国人には、なかなか分からない。だから、今の習近平体制は、中国民衆にものすごく支持されている。都市部の金持ちや特権的な市民には評判が良くない。

このことを、日本人が分からない。同じくインドのモディ首相も、日本にいるインド人のインド料理屋の経営者たちを含めて、ナレンドラ・モディはものすごくインド国民に人気がある。こういうことも、なかなか日本人には伝わらない。

だから、この本では、次の第2章で「賃労働と資本の永遠の対立」を、どうしたらいいかを論じる。もう1つ大事なことは、習近平は、独裁体制であることに変わりがない。だが、習近平体制が強固な独裁態勢（ディクテイターシップ）であることが、今の中国にとって大事であり、どうしても必要なのである。

私、副島隆彦は、強くこのように考える。それは、今の英と米が主導する世界体制（ワールド・オーダー）では、ディープステイトのアメリカ帝国が、ガラガラと崩れ落ちるまでは、習近平に厳しい対決姿勢を取らせるしかないのだ。中国の指導者層は、このことが分かっている。今のところは、こうするしかないんだ、と中国人の多くが分かっている。

このことを、私、副島隆彦が、これまでの自分の本で書いてきた。

今から丁度30年前の１９９３年に、最高指導者だった鄧小平（デン・シャオピン。この４年後に92歳で死）が、40歳の習近平を呼びつけて、

「近平（ジンピン）よ、お前なら、イザというときに戦争ができる。アメリカと核戦争を含めて戦って５００万人、１０００万人死んでも、戦える。そして勝てる。だから、お前を、次の次の指導者にする。私が期待した善人（ぜんにん）の集まりである共青団（きょうせいだん）の連中では、とてもこの戦いに勝てない。だから私はお前を抜擢（ばってき）する。お前のお父さん（習仲勲（しゅうちゅうくん））もたくさん苦労して、偉かったんだぞ」

として、習近平は選ばれたのである。

だから、アメリカの世界覇権が崩れて、中国が仕方なくイヤイヤながら、世界の管理をしなければならなくなる。そのときに、初めて善人集団でエリートの勉強秀才たちの集まりである共青団が、中国共産党から６０００万人ぐらいで集団で脱党して、中国民主党と

いう大政党を作る。共青団は、しばらくは冷や飯食いをまだ続けるであろう。

こうやって、中国共産党と2大政党制（ツーパーティー・システム）である①複数政党制に移行する。そして、中国国民（人民）全員に、1人1票を与える②普通選挙制（ユニバーサル・サフリッジ universal suffrage ）の導入によって、この①と②が揃えば、まさしくデモクラシー（民主政体）である。だから、このとき、中国は「穏やかな平和を目指す帝国（エムパイア）」として世界中の国々の模範となることができる。

そうなれば、台湾人やチベット人やウイグル人、モンゴル人たちも、これまでの共産党による政治弾圧への恨みを解消して、自然に中国政府の言うことを聞くようになる。そして台湾は、中国の23番目の省である台湾省になる。今の台湾人は、ほぼ全員がプートンホワ（中国の普通語。北京語）を話す。まさしく中国人なのだ。

このようにして、私のこれからの中国研究本は、他のどんな本よりも、先へ先へ、前へ前へ、進んで新しい巨大な問題を取り扱う。例えば、佐藤優氏が私に言った。

「副島さんは、あまりに先のことを書き過ぎるから、読者の理解が得られない。少しだけ先のことを書くのがいいんですよ」と。

だが、私は、そう思わない。急いで先へ先へと書いておかないと、現実のほうが、どんどん追いついてくるのである。

統一教会に対して空とぼけている連中

本書の最後に、私、副島隆彦は今もずっと怒っている。去年２０２２年７月８日に、安倍晋三が統一教会の関係者に殺された（ことになっている）。

ところが、その後も、ほとんどの日本人は、統一教会（反共右翼の中心）の悪口を一切言わず、あの気色の悪い韓国人のおばさん（教祖の文鮮明〈ムン・ソンミョン〉の奥さんの韓鶴子〈ハン・ハクチャ〉が指導者）の悪口を、一言も言おうとしない。黙って知らん顔をしている。あるいは空とぼけている。私は、この種類の日本人に対して、本気で怒っている。テレビのニューズ記事を載せる。

「〝統一教会〟総裁が日本の政治家を批判
安倍元首相銃撃から1年」

安倍元首相の銃撃事件から7月8日で1年がたった。

先月下旬、教団のトップ、韓鶴子（ハンハクチャ）総裁は、韓国で演説を行った。ジャーナリストの鈴木エイト氏によると、日本の幹部や信者1000人以上を前に話をした。

「皆さんが知っておくべきことは、日本は敗戦国、第二次世界大戦の戦犯国だということ。そうならば賠償をしなければならない、被害を与えた国に」

演説の音声では「日本が復興したのは韓国のおかげだ」として「その恩を韓国や世界に返さなければならない」と話した。

音声にはこんな発言もあった。

「今の日本の政治家たちは我々に何をしている？　家庭連合（旧統一教会）を迫害しているじゃないか」「日本の政治家たち、岸田をここに呼びつけて教育を受けさせなさい」

教団は、韓鶴子総裁の音声であることは否定しなかったが、「流出したデータのた

統一教会の総裁の韓鶴子(ハン・ハクチャ)は「岸田に教育を受けさせなさい」と発言した

「旧統一教会が「改革」を強調する裏で飛び出した韓鶴子総裁の「日本賠償」発言 内部からも疑問の声 本当に変われるのか？」

2023年6月下旬に韓鶴子総裁が教団内部の集会で「日本は第2次世界大戦の戦犯国家で、罪を犯した国だ。賠償をしないといけない」「日本の政治は滅ぶしかないだろう」「政治家たちと岸田に教育を受けさせなさい」などと発言したことが明らかになった。日本で教団への批判が相次ぎ、政治家との接点が問題視されたことについても反発を露わにしたという。(共同通信　2023年7月26日)

めコメントしない」としている。

（日テレNEWS　2023年7月7日）

正常な感覚をした日本人からは、とんでもない人間たちだ、という反応しか起きない。だが、私たちは、この韓鶴子の発言に対して、ほとんど何も言わない。自分は、こんな人たちには関わりたくない、の自己防衛の反応だけである。

私が長年つきあってきた出版社の編集者たちにも、この種類の人たちがいる。私は彼らのことを、前述した**②の温厚な保守派**だ、とずっと思ってきた。ところが、そうでもないのだ。彼らは、**①反共右翼**（反中国、反ロシア）の愚劣な連中に精神的に引きずられている人々である。だから今も自分の態度をはっきりさせない。

私はこのことが、極めて不愉快である。最近の10月13日に、統一教会への日本政府（文化庁）としての解散命令の手続きとして、政府は、解散請求を裁判所に行った。このことがあっても、**②の温厚な保守の人々**は黙りこくっている。何がそんなに怖いのか。こんなにも気色の悪い、精神がねじ曲がった人間たちの集団を、何故これほどに恐れなければいけないのか。彼らからイヤがらせされるのが、そんなに恐いのか。私は恐くない。

安倍晋三は統一教会総裁の韓鶴子への敬意を堂々と述べていた

「統一教会と自民党の「本当の関係」」

2021年、安倍晋三氏は、教団の関連団体「天宙平和連合」（UPF）の行事にビデオメッセージを寄せた。内容は、教団トップの韓氏をたたえるものだ。

「韓鶴子総裁をはじめ、皆さまに敬意を表します」

これが、銃撃事件の引き金になった可能性がある。山上徹也被告の供述の中に次のような内容があったためだ。「当初は韓氏を狙ったが、新型コロナウイルス禍で来日しないので、安倍元首相に狙いを変えた」。（共同通信　2023年7月9日）

「旧統一教会の財産保全、不動産処分前に通知義務　与党案」

世界平和統一家庭連合（旧統一教会）の被害者救済策などを検討する自民、公明両党のプロジェクトチームは、11月14日、財産の流出を防ぐ制度改正（特例法）の提言をまとめた。保有する不動産を処分する前に管轄する行政機関への通知を義務づける。今国会で必要な法整備を目指す。

宗教法人法が定める処分前の公告を拡充する。「被害者が相当多数見込まれる場合は不動産の処分前に所轄庁に通知し、公告することを義務づける」との方策を示した。通知をしなかった場合、処分は無効とする。

財産目録などの提出義務についても触れた。「財産流出のおそれが高い場合に財産目録などの提出の回数を増やす」と盛り込んだ。年度ごとから、3カ月ごとの提出に増やすことを想定する。

外為法の規制を強め、被害者の救済に必要な教団の資金の海外流出を防止する。政省令を改正し、解散命令請求を受けた団体について報告までの期間を短くしたり事前

政府は本気で統一教会の宗教法人解散命令を実行する。同時に財産保全の強制執行を行う

東京都渋谷区宇田川町にある統一教会の本部。私は、実際に自分で現地を歩き回って分かったことがある。場所はJR渋谷駅からずっとつながる、NHKの西門もある狭いバス道路である。オーチャード通りと呼ばれる。統一教会の本部は、どう考えても松濤という高級住宅地区なのだが、この一角だけ反対側の宇田川町に入れられている。

報告させたりして、財産の移転を抑止する案がある。

（日経新聞　2023年11月14日）

私は、今、激しい嫌悪感を表明して統一教会を糾弾している。このことを、この自分の単行本に書いている。こんな書き方が許されるのか、私にも分からない。だが、私は日本国憲法第21条が定める、「集会、結社及び言論、出版、その他一切の表現の自由は（この憲法が日本国民に絶対に守れと日本政府に命令することで）保障する」という権利に基づいて主張している。だから私は自分がどんなに激しいことを書いても構わない、と思っている。私が本気で考えていることだからだ。

本が売れない。とにかく本が売れない。テレビ、新聞に続いて、出版業界もヒドい。業界全体が存亡の危機に陥っている。出版社の地獄の経営実態のことを誰も書かない。だが、これが実情だ。どこの出版社もギリギリしか利益が出せなくなっている。このことは、業界の公然の事実である。

本屋で本を買って読む人たちが、いなくなった訳ではないが激減した。普通の人たちが気づいていて、知っていることだ。その中で、言ってはなんだが（自分褒めだから）私は、単行本を書いて出して、これで何とか食べている。私の本ならと、買ってくれる人たちがいるからだ。

スマホとＳＮＳとＹｏｕｔｕｂｅのせいで、本なんか買って読む人が、ほとんどいなくなった。商業出版物の掟と原理に従って、この本も世の中に出る。売れそうな本しか出版社が出さなくなった。私が本当のことを書けば書くほど、私の本の読者は喜ぶ。これまでの実績で、「この副島隆彦という男は、ウソを書かない。世界の真実と現実を、本で私たちに教えてくれる」という人々が、私の本のお客の中心である。これが、③日本の読書人階級（ブック・リーディング・クラス）である。

本を読む人と書いて読書人と言うが、実際にはほとんどいない。日本の人口の１％の１２０万人である。日本のエリート層は、本を買って読まない。受験勉強ばっかりやらされたものだから、エリートの出世コースに乗った途端に、本を読まない。自分の仕事上の文章で精一杯だ。

だから彼らは、読書教養人ではない。私は彼らを相手にしない。彼らは現代の落ちこぼれたちである。彼らは、この世の大きな真実を何も知らない。テレビ、新聞が言っていることを信じる。バカ者たちだ。

　それに対して、学歴はなくても、私の本を見つけて、その重要性に気がついてくれた人たちが真の読書人だ。本当に本を買って読むことが、自分の人生の必須事項だと分かっている。だから、**①の反共右翼**を論外（ろんがい）として無視する。**②の温厚な保守**の層と、③の読書人たちに私は訴えかける。彼らは、私の本の冒頭から書いた内容を理解する。彼らは、そこらのテレビや新聞が言っていることはウソだ、と分かっている。そして、私は、すでに山ほど、「真実の暴（あば）きの本」を書いてきた。

中国はマルクス主義と資本主義を乗り越える

中国は自分たち自身の過去の大失敗を恥じている

私が大嫌いな、①**反共右翼**の連中は、ウクライナが勝つ、ロシアが負けると、まだ言い続けている。自衛隊の上の者たちや、統一教会系である安倍晋三系とかは、最後までロシア、中国、韓国嫌いを言い続ける。それなのに、彼らは韓国発祥の統一教会を拝んでいる。あの奇怪極まりない気色の悪い政治的宗教団体を、日本の右翼たちは今も拝んでいるのだ。

何と言うことだろう。私のよく知っている②**温厚な保守**（であろう筈）の人間たちまでが、少なくとも、統一教会の悪口を言わない。何と言うことだろう。前章で書いたように、私は、このことでずっと怒っている。

統一教会は、韓国どころか本当は、北朝鮮政府とつながっている。何ともはや、である。
「副島、その証拠を出せ」と言うなら、これからどんどん出てくる。

世界各国にまで蔓延った恐るべき邪教の集団である。韓国と北朝鮮の全ての在外公館を使って、統一教会が暗躍してきた。アメリカ帝国の帝都のワシントンまで政治汚染させた。

前述したように、日本で、ようやくその解体（宗教法人の法人格を剝奪する）が始まった

(10月13日)。

統一教会があらゆる組織、団体に潜入(インフィルトレーション infiltration)して組織を乗っ取ることをして来た。本当に不愉快きわまりない危険な者たちである。統一教会は、人類(人間全部)の癌(がん)(キャンサー)だから切除(せつじょ)手術(リムーブ・オペレイション)をしなければいけない。

彼らは、台湾有事で騒いで中国が攻めてくるみたいなことを、統一教会員が潜り込んでいるテレビ、新聞がいまだに言っている。中国はそんなバカなことはしない。中国は、もっと穏(おだ)やかに「戦わずして勝つ」で台湾問題を解決する。

台湾は、ゆくゆく中国の23番目の省になる。「台湾省」である。そうすると、台湾海峡の通過どころか、フィリピン諸島の東側の第2列島線まで、米軍の艦隊も空母も近寄れなくなる。

P71の図のとおり第1列島線は、いわゆる石油輸送ルートのシーレーンである。西太平洋(にし)(ウエスト・パック)まで中国の支配下に入ることは、目に見えている。もうすぐである。この問題も後(あと)の第4章で説明する。誰が次の台湾総統になるかだ。今のところは、まだ、アメリカが台湾の上(うえ)のほうだけは操(あやつ)ることが出来ている。

それよりも今の中国知識人や指導部にとって大事なのは、階級闘争（class struggle）というマルクス主義思想の重大問題に関わることである。

これを言うことで、私は今後、中国知識人と真剣に議論しなければいけなくなる。私は、やがて中国知識人たちを大きく説得してみせる。もうすぐ世界覇権（ヘジェモニック・ステイト the hegemonic state）になる中国の指導者と知識人たちにとって、最大級に恥ずかしいことは、過去の自分たちがどんなに愚かなことをしたか、をはっきりと認めるかどうかだ。

中国自身がどれほどバカだったかを自認して、このことを外側世界にまで公言して大切開するか。これがこれから問われる。このことは、毛沢東時代の１９５８年から１９６２年の大躍進運動の4年間で、２３００万人が死んだ事実の指摘から始まる。

多くの農民が餓死した。都市部でも餓死者が出た。これは毛沢東の政治の大失敗だ。毛沢東は、１９６２年1月11日からの「中共中央拡大工作会議」で、自分の大失政を認めて自己批判して、国家主席と党主席を辞任した。

毛沢東自身は、マルクスの『資本論』に従って、マルクス主義経済学の理論（ロシアで

中国は大陸棚(だな)条項の「第９段線」までを自分の領海(りょうかい)と主張。第１列島線は中国海軍がすでに突破した。次は西太平洋(ウエストパック)だ

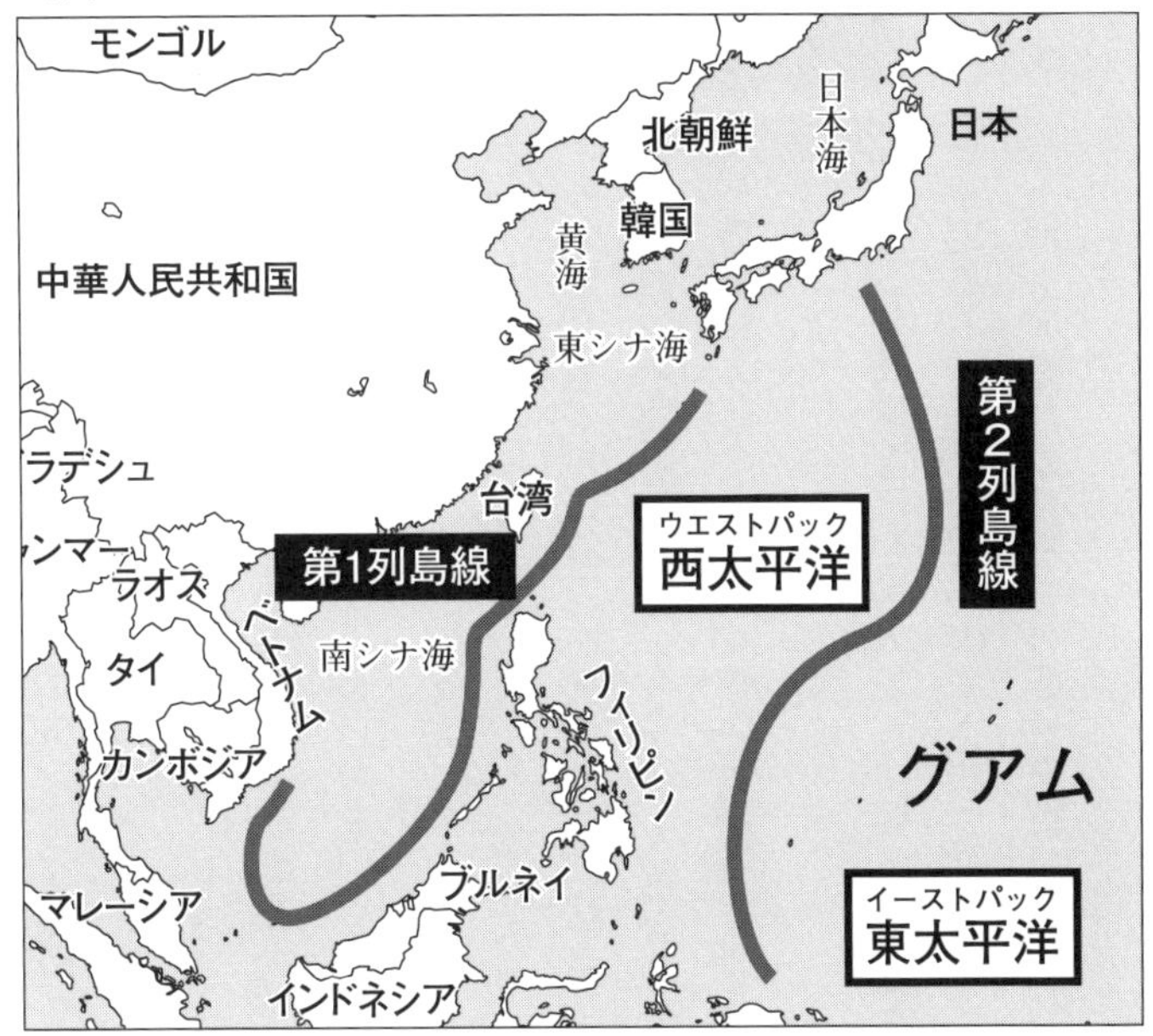

もうすぐ第２列島線まで、中国の支配下に入る。そこは西太平洋（ウエストパック）だ。中国の軍人トップ（国防部）が、「ウエストパックの管理権を中国に渡しなさい」と言った。米軍の太平洋軍（PACOM(パコム)）の司令官が「冗談はよせ」と拒否した。もう７年前の話だ。習近平が「太平洋は広い。中国も分担するよ」と言っていた。

出来た）どおりに実行することで、国内で工業化をすれば、社会主義のまま中国は豊かな社会になると思い込んだ。ところが大失敗した。

英雄軍人の彭徳懐将軍が、「このままではとんでもないことになる。大量に餓死者が出ている」と会議で毛沢東に直言した。このあと彭徳懐は、１９５９年８月にヒドい死に方をした。このあと毛沢東が自分の非を遂に認めて、一旦は身を引いたのである。そのとき代わって出てきたのが劉少奇である。

劉少奇も、のちにひどい死に方した（１９６９年11月12日。監禁死）。誰も中国経済を立て直せなくて、１９６６年から、毛沢東が再び権力を握って、文化大革命を始めた。

このあと１９７６年までの10年間。毛沢東が死ぬまで文化大革命が続いた。この間に、約１億人の農民が餓死した。同時期に、５００万人ぐらいの指導者層と知識階級が殴り殺されて死んだ。自殺者も含む。

この悲惨きわまりない文化大革命の悲劇を、中国人民、中国人は今でも死ぬほど知ってる。そのさなかに私と同じ生年である習近平が、15歳で下放された。１９６８年12月のことだ。１６００万人の少年たちが下放されて、地方の農村地帯に送られた。帰って来なかった者も多い。

1958年から1962年の大躍進運動で2300万人が死んだ。「あのとき自分たちは本当にバカだった」と中国人は腹の底から思っている

1958年に、毛沢東が「15年で中国経済が英米を超えるように」と命令して始まったのが大躍進政策だ。中国人は自宅の鍋釜を溶かして高品質の鉄に仕立て直そうとした。西欧の近代知識なしでこれをやった。大変な大失敗に終わり4年間で2300万人の餓死者が出た。毛沢東が失脚し、劉少奇に国家主席の座を譲った（1962年）。ところが、その4年後、毛沢東は再び権力を握り、文化大革命という次の地獄（1966～76年）を作った

習近平は、泥んこだらけの苦労のあと、4年後に19歳で清華大学に戻ってきた。革命第一世代の指導者たちの息子（太子党。タイツーダン）たちだ。文革のとき、習近平の父親の習仲勲もみんなひどい目に遭っている。習仲勲が本当に優れた大幹部だった。鄧小平の1979年からの改革開放政策（欧米の資本主義の導入）を先取りしていた。この話を私の前の中国本で書いた。

大躍進運動については、毛里和子（早稲田大学教授。1940年生）が論文で発表した「大躍進運動で2300万人が死んだ」という数字が、世界的に認められている。彼女に業績がある。この数字は、今では中国政府も認めていると思う。

中国が何であんなことになったのかということを今、考えることが大事だ。やっぱり中国人はあの時、自分たちは馬鹿だった、理想主義に狂ったと自覚している。
マルクスの『資本論』のとおりにやれば、平等社会ができて、かつ国家全体と国民が豊かになれると信じ込んでいた。だから毛沢東本人の考えとしては、自分は独裁政治を行いたかったのではなくて、民衆を豊かにしようと本気で思ったのだ、となる。ところが現実は、地獄の世界になって、動乱状況の中国になった。

毛沢東が始めた狂気の文革(権力闘争だ)のなかで、現実直視の劉少奇(りゅうしょうき)は糾弾され悲惨な死(1969年)を遂げた

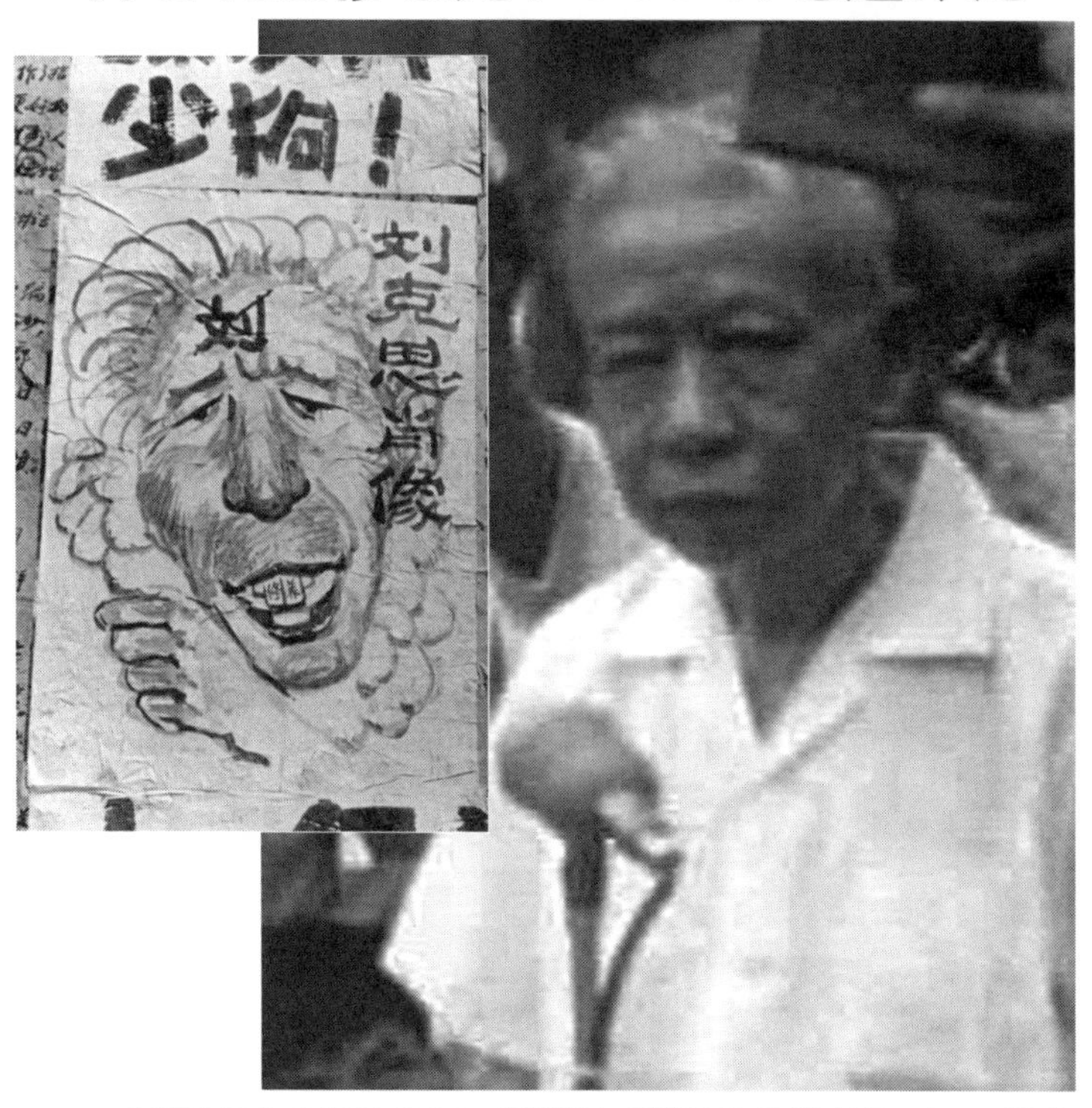

文革の最中の1967年に、紅衛兵に糾弾される劉少奇。かつて自らを「劉(リウ)（刘）克思(クス)」ともじるほどのマルクス（中国語で馬克思）主義者だったのに、資本主義の復活だと批判する壁新聞が貼られた（左）。劉少奇は周恩来と同じ1898年生まれ。毛沢東の大躍進政策失敗後、第2代国家主席となった（1959年）。1969年、監禁状態で死んだ（70歳）。

私は自分の前の本たちでも書いたけれども、やはりカール・マルクスが経済理論を作った、その理論（セオリー）の作り方に大きな欠陥があった。私は、このように判断した。

人間は皆平等、というのは、ヨーロッパ近代（モダーン）社会が作った権利の平等のことだ。選挙で1人1票という人権。公共サーヴィスを受ける上での平等。ヒューマン・ライツ（人権）は、国家から個人が平等な取り扱いを受ける、ということである。たったこれだけのことだ。

ところが、人間の能力までも平等だ、にまでしてしまった。そして、全ての労働者の労働が、剰余（じょうよ）価値（付加（ふか）価値）を生む、とやってしまった。そんなことはないのだ。この大間違い、を今でもみんな知らん顔をして、忘れたふりというか、無視している。これは、人類全体の致命的な間違いだ。個人（人間ひとりひとり）の個人差と能力差を、公然と認め合うことから、私たちは再出発しないといけない。

中国（人）は、今、この段階にまで到達した、ということだ。これに対して、私たち西（にし）側（がわ）先進国（G7）の人間たちがずっと優れている、ということでは無い。西側（ザ・ウエスト）もおおいに問題が有る。

文革（1966-1976）で1億人が餓死。中国人は文革の地獄の苦しみから這い上がった

その前の大躍進（1958-62）で2300万人が餓死と失敗した毛沢東が、劉少奇や鄧小平ら走資派（資本主義肯定者）から権力を奪い返したのが文化大革命だ。1977年に終結宣言が出された。マルクス主義の経済学の失敗を証明した。このとき習近平（15歳）も陝西省の田舎に下放され、辛酸をなめた。習近平たちは、あのとき辛酸を舐めたので人類のあるべき未来像を、今真剣に考えている。

鄧小平とY＝C＋I

これまでの何冊かの私の本で、私はすでに証明した。剰余価値を surplus value「サープラス・ヴァリュー」と言う。これは西洋、西側の近代（現代）経済学で言う付加価値 added value「アデッド・ヴァリュー」と同じことだ。〝価値の増殖〟という考え方だ。「価値を増やす」ことで人間はより豊かに暮らせる、という原理である。ただし、この「価値」という言葉は、普通の人は、あまり乱用しないほうがいい。価値（論）は難しいのだ。普通の人は「価格」でいい。物の値段だ。

そうすると、**価値の増殖をできるのは、能力のある人だけ**なのだ。

これをカール・マルクスがわざと無視した。すべての人間が労働をすることで、剰余価値を生む、付加価値を生むと言った。

ところが、これはウソである。能力のある人間だけが、付加（余剰）価値を生む。剰余価値、surplus value を生むのは、能力のある人間だけなのだ。それが「Y＝C＋I」という式である。

天才経済学者ケインズの「有効需要（エフェクティブ・デマンド）の原理」の最単純化モデル（数式）

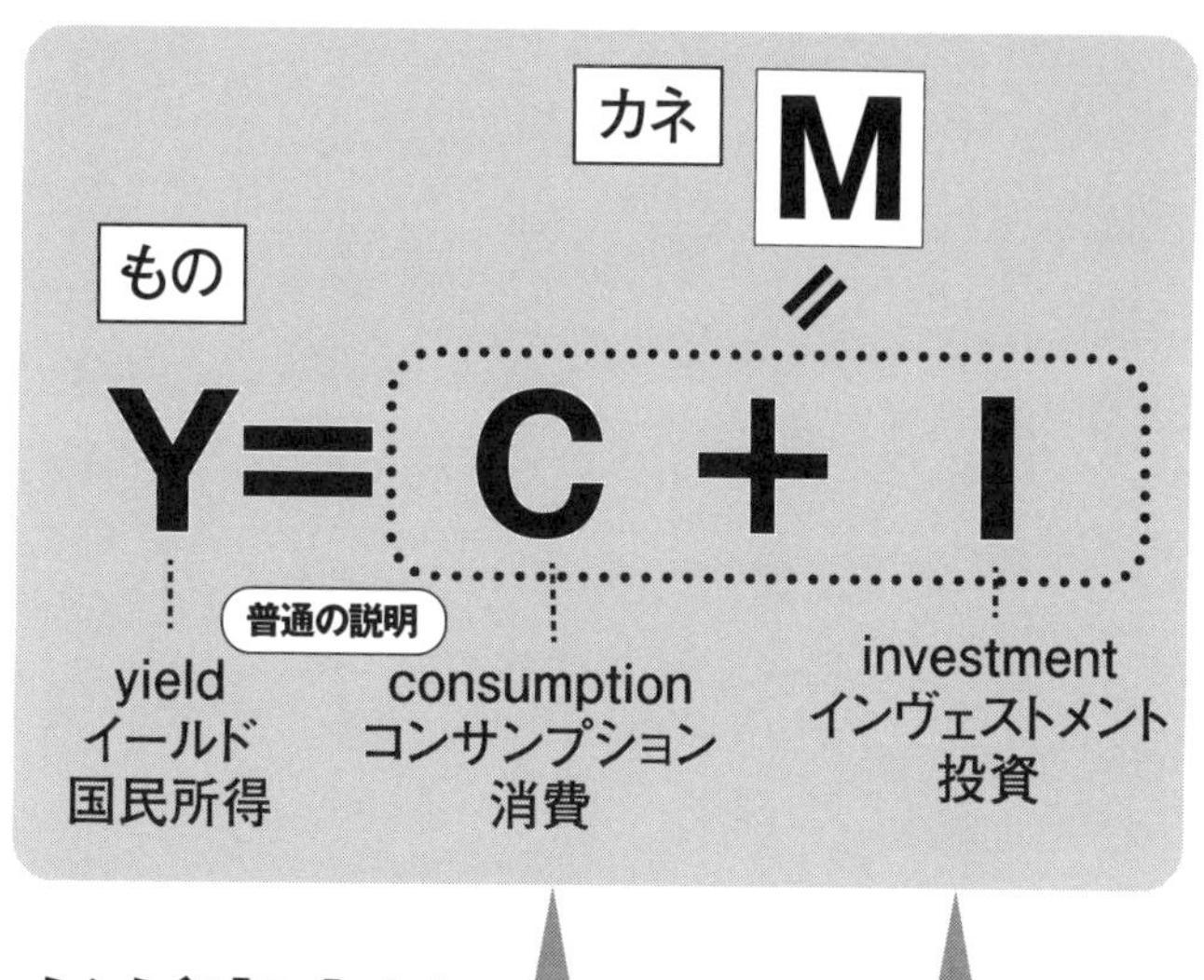

だが真実は

売り上げ、あるいは儲けのこと

コスト cost

会社の建物や工場設備。及び能力のない社員やただの従業員たち

インテレクト Intellect

知能。利益を生む社員。有能な人材。ワルの経営者

副島隆彦著『アメリカ争乱に動揺しながらも中国の世界支配は進む』（2021年刊）P91から

この「Y＝C＋I」の数式は、イギリスの大天才経済学者のジョン・メイナード・ケインズが作った。ケインズが『雇用、利子および貨幣の一般理論』（1941年刊）という偉大な本を書いて出版した。この時にケインズが、この図式を示すことで人類は新しい時代に入った。

ケインズは、ドイツ人亡命者のマルクスを馬鹿にして、マルクスの限界（それはアダム・スミスとリカードゥの限界である。この2人が労働価値説を唱えた。人間の労働だけが価値を生むという理論）を、部分的に超越した。ここからが、現代経済学（モダーン・エコノミクス）である。

日本では置塩信雄という神戸大の学者が、マルクスの思想とケインズの思想を結合させた。そして、それがY＝C＋Iと同じものになった。それを経済学者の森嶋通夫（LSEロンドン・スクール・オブ・エコノミックス教授）が、『マルクスの経済学』（1974年刊）という本に書いて、アメリカに持ち出して、アメリカ経済学の第一人者（泰斗）のポール・サミュエルソンと、このことで堂々と論争をした。

森嶋通夫の弟子が小室直樹先生だ。私の先生だ。森嶋通夫がいけなかったのだが、小室直樹を、無自覚にMIT（マサチューセッツ工科大学。ハーヴァード大学の隣りの敷地）のポール・サミュエルソン教授の元へと送り込んだ。それで、小室直樹はひどい目に遭（あ）った。単位ももらえなかった。

その前に、史上初めて経済学を数式化した（数式で表した）のは、ケンブリッジ大学でケインズの先生のアルフレッド・マーシャルだ。マーシャルは「Y＝M」という式を作った。YというのはYield（イールド）。これは生産高だ。企業や国家の1年間のすべての売り上げと言ってもいい。個人（家計）であれば年収だ。Mというのは Money（マネー）の総量である。だからY（もの）＝M（カネ）である。

この「Y（イールド）（売上げ）＝M（マネー）（お金）」の式から始まって、ケインズはこの式を「Y＝C＋I」に書き換えた。これは Consumption（コンサンプション。消費）プラス Investment（投資）というように、普通は経済学の教科書で説明されるが、そうではない。本当は、Y＝C＋IのCは消費ではなくて、コスト（費用）のC（シー）である。機械とか設備を動かすための費用だ。それをわざと Consumption 消費と説明する。

このコスト（費用）のところに、労働者が含まれる。機械とか設備と、電気代とかの光熱費と共に労働者が含まれるのだ。お店の従業員として働いている人たちとかだ。彼らの給料（賃金（ウェイジ））だ。彼らは付加（余剰）価値を生まない。価値の創造をしない。

一方、Iは、Investment（投資）と普通は説明する。真実は、そうではなくてIntellect（インテレクト）である才能、知能だ。この知能の能力のある社員と、悪賢い経営者が、価値を生む、価値を増殖させるのである。これが剰余価値だ。

中国人よりも、その前の革命を起こしたロシア人たちが、マルクスのこの大間違いをそのまま引きずった。すべての人間が余剰（付加）価値を創出できる、と愚かにも信じ込んだ。

この思想の土台と始まりは、P38で前述したジャン・ジャック・ルソーが唱えた「すべての人間は、能力においても平等だ」（さらに『エミール』という教育の本で）である。だから、その後の啓蒙（リベラル派）思想家たちが、人間の能力はやっぱり平等ではない、と言い切ることができなかった。それがロシアと中国で後に大きな悲劇を生んだ。ロシア革命と中国革命という2つの〝人類の大実験〟は、だから大失敗に終わった。

だから森嶋通夫に倣って、キッシンジャー・アソシエイツの紹介と資金で、1980年代から中国人の一番上のエリートたちから順番に、やがて合計で400万人ぐらいがアメリカの大学に留学した。このうち300万人は、もう中国に帰っただろう。「千人計画」という名称の、アメリカからすべての学問分野の先端知識を盗み出す動きもバレてしまい、

1978年、鄧小平は天皇と会談したあと、君津の新日鉄の最新式溶鉱炉へ。そのあと、大阪で松下電器工場を視察。中国の巨大成長の足がかりに

1978年10月、「日中平和友好条約」批准のため訪日した鄧小平は、松下電器の茨木テレビ事業部を訪問。鄧小平は「松下さん、あなたは日本で経営の神様と言われています。中国の近代化を手伝ってください」と呼び掛けた。幸之助（右端）は即座に「できる限り中国の近代化に協力させていただきます」と答えた。本当は「よろしおます」と言った。この鄧小平の真剣な表情を見よ。

その中国人の責任者がアメリカで殺されたりした。

この森嶋理論を、王滬寧（ワン・フーニン）たち、中国のトップの頭脳が理解した。「やはり価値を生む若者の能力のある人間たちを大事にしなければいけない」と、中国（人）は大きくハッと気づいたのだ。

最高指導者の鄧小平が、一番先に死ぬほど、この考えの重要性を分かった。

鄧小平は毛沢東に殺されかかりながらも生き延びて、毛沢東が死ぬ前の1974年から政界に復帰し、正式に復帰したのが1979年だ。この年に、改革開放を始めた。

鄧小平は四川省の山の中を、四人組に追いかけられて逃げ回ったりしながら生き延びて3度目の復活をした。これが本当の中国現代史だ。

このあと、「もう中国は豊かな国になる。貧乏はやめた」と、つまり能力のある人間を大事にする、と鄧小平は決意し、宣言した。これを先富論と言う。鄧小平は、「白い猫でも黒い猫でも、ネズミをとる猫（即ち生産性の高いネコ）が良い猫だ」と言った。本当は白ではなくて黄色い猫と言った。このコトバ（格言）は日本でもみんな知っている。

この鄧小平の先富論は、能力のある人間を大事にしろということだ。この時から、今の巨大な中国の動きが始まったのである。だから、もう中国人は愚かな考えに騙されない。

４０００年の中国（中華）文明の元の姿に戻ったのである。

ジャック・マーを潰すな

このことをもっと分かりやすく言うと、巨大ネット通販会社のアリババの創業者のジャック・マー（馬雲）を絶対に潰してはいけないということになる。ジャック・マーも、テンセント（ウィーチャット）のポニー・マー（馬化騰）も、すでに実質の経営権は社内の共産党員たち（役員たち）に奪われているけれども、社主（オーナー・大株主）として大事にされている。大資本家であるマーたちの10兆円の個人資産には中国共産党は、手を出さない。それが今の中国である。

こうしてジャック・マーは今年、東京に来て動き回った。それに関する記事を載せる。

「アリババ創業ジャック・マー氏、東大の客員教授に食糧問題に関心」

東京大学は、2023年5月1日、中国のネット通販最大手アリババ集団の創業者である馬雲（ジャック・マー）氏を、研究組織である「東京カレッジ」の客員教授として迎えたと発表した。任期は10月末まで。年単位での更新も可能という。

馬氏は、2019年12月に東大で行われた国際会議に登壇した。東大は、この時から「一定の関係を築いてきた」と説明する。東大が行う世界の食糧問題に関する研究が、馬氏の関心事項だったことが今回の就任につながった。今後は講演や講義を通じて、起業や企業経営、イノベーションについての経験や知見を、学生や研究者と共有することを期待するという。

馬氏は、1999年にアリババを創立。2020年に当局批判ともとれる発言をし、傘下の金融会社アント・グループの株式上場が延期に追い込まれた。21年には、独占禁止法違反でアリババが巨額の罰金を科され、2022年8月には、アリババなどプラットフォーム事業者への規制を強化する改正独禁法が施行された。馬氏は中国当局

5月から東京で暗躍したジャック・マーは東大の客員教授も。その勤務実態は不明。日本政府の重厚な動きだ

ジャック・マーは中国政府に恭順(きょうじゅん)しながら、各国に親(しん)中国勢力を作る。2023年5月1日〜10月31日まで東大の「東京カレッジ」で短期の客員教授。研究テーマは「農業」だった。同時に香港大学の教授も務めている（2026年3月まで）。孫正義や北尾吉孝(よしたか)や華僑たちと密議した。

がアリババやアントに圧力をかけ始めてから、徐々に表舞台に姿を見せなくなっていた。

（朝日新聞　2023年5月1日）

大手不動産企業で潰れかかっている前述した恒大集団でも碧桂園でも、経営者である資本家を大事にする。彼らを簡単には追放処分にしない。破綻処理や破産もさせない。簡単に逃してたまるか、と言う思想だ。今の中国人指導部は本当に頭がいい。

住宅ローンの契約をして、すでに3割ぐらいお金（頭金。ダウンペイメント）を払ってしまっている人たちに、ちゃんと高層鉄筋アパート（大廈）を建ててあげなさい、とじっと共産党は見守っている。最終的には同業種の国有企業が吸収合併して事業を続けさせるだろう。

恒大集団が抱える負債総額45兆円のうち、アメリカのニューヨークで、ドル建ての社債として発行（売り出し）した4兆円の債券がある。それはニューヨークで吹き飛ばせはいい。これで恒大集団が、ドル建ての社債を発行した分はパーになる。それは、欧米の白人投資家たちが買った分だ。

資本家（経営者）を大事にするというのが、中国人が心底、分かったことだ。文化大革

経済発展するためには、有能な資本家を大事にしなければいけないと、中国人は死ぬほど分かった

中国の長者番付2023年（胡潤百富榜（フールンバイフーバン））

順位	昨年比	人名	関連企業	所得
1	—0	鍾睒睒（ジョン・シャンシャン、69歳）	農夫山泉（ノンフーシャンチュアン）（ミネラルウォーター）	4,500億元（9兆円）
2	↗3	馬化騰（ポニー・マー、52歳）	テンセント（通信）	2,800億元（5.6兆円）
3	↗7	黄峥（ファン・ジャン、43歳）	拼多多（ピンドゥオドゥオ）（ネット通販）	2,700億元（5.4兆円）
4	↘-1	曾毓群（ゼン・ユーチュン、55歳）	CATL（リチウム電池）	2,500億元（5兆円）
5	↘-3	張一鳴（ジャン・イーミン、40歳）	バイトダンス TikTok（SNS）	2,450億元（4.9兆円）
6	—0	丁磊（ディン・ライ、52歳）	NetEase（ゲーム）	2,400億元（4.8兆円）
7	↘-3	李嘉誠（リー・カシン、95歳） 李澤鉅（リー・ザジュウ、59歳）	長江実業（ちょうこうじつぎょう）（不動産）	2,100億元（4.2兆円）
8	↘-1	何享健（フー・シァンジャン、81歳）	美的（メイダ）（家電）	2,000億元（4兆円）
9	↗10	李書福（リー・シュウフー、60歳）	吉利（ジーリー）（自動車）	1,750億元（3.5兆円）
10	↘-1	馬雲（ジャック・マー、59歳）	アリババ（ネット通販）	1,700億元（3.4兆円）

命の死ぬほどの苦しみの中から、中国人が体で理解した。この当たり前の大きな真実を日本人で書いて伝えることのできる著者は、私以外にはいない。

中国が気づいた有能な資本家の大切さ

ここが大事なのだ。私はすでに『日本が中国の属国にさせられる日』（KKベストセラーズ、2016年）のなかで、このことを書き始めた。ロシアでも、1917年のボリシェヴィキ革命以来、同じことが起きた。ロシアの貴族と大金持ちが、命からがら国外に脱出した。

主にヨーロッパに逃げたが、一部はシベリア鉄道で旧満州のハルピンにまで逃げてきて、日本にやってきた。そこから船でアメリカに渡っていった。そのとき子どもだったのが、今のCME（シカゴ・マーカンタイル）取引所の会長のレオ・メラメドという男だ。この男が存命で、現在の金融先物（フューチャー）市場を動かしている。この男が死んだとき先物市場が停止して、NYの金融市場が崩壊（collapse。コラプス）する。

ニューヨークにあるNYMEX（ナイメックス）と、COMEX（コメックス）の2つの

GDPも貿易額も中国が世界一の大国となった。西側メディアもさすがにこれを認めた

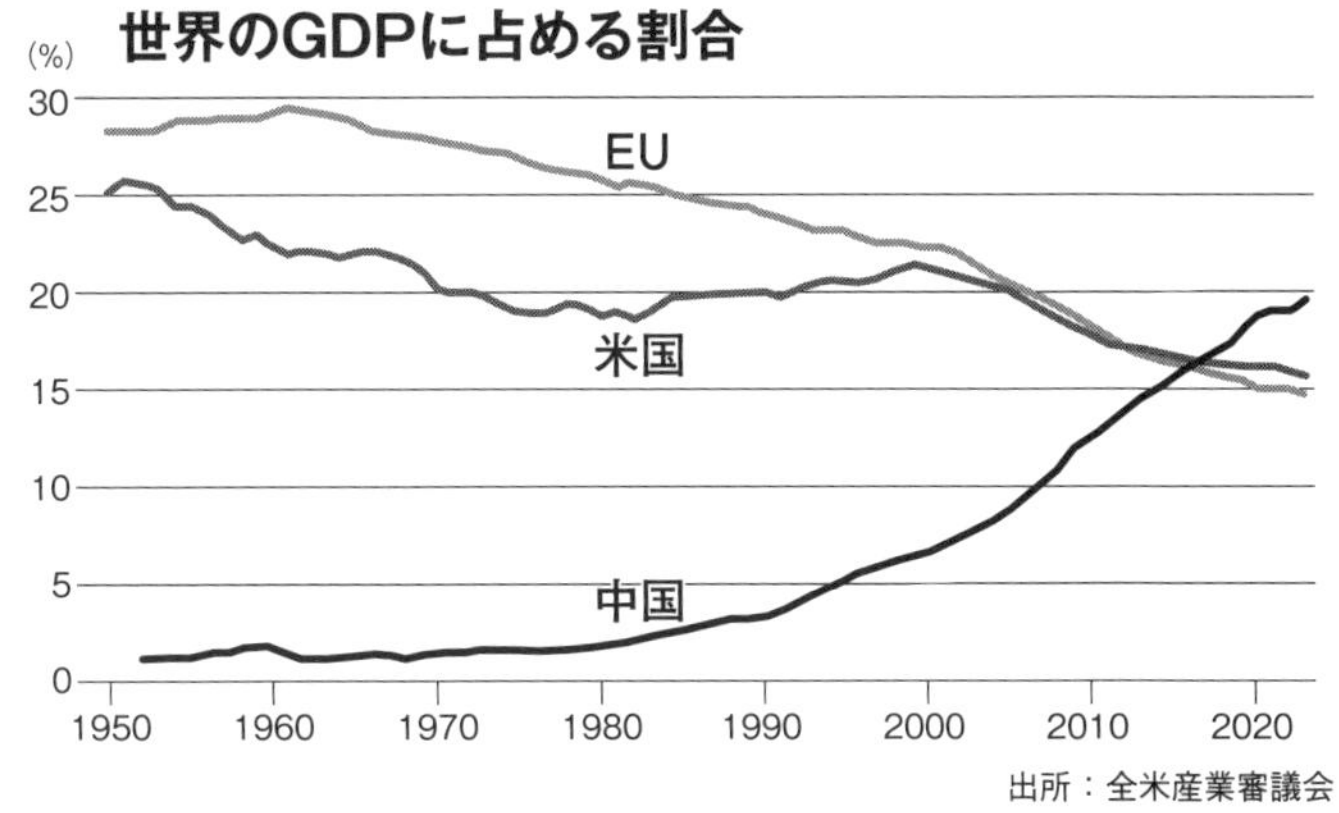

出所：全米産業審議会

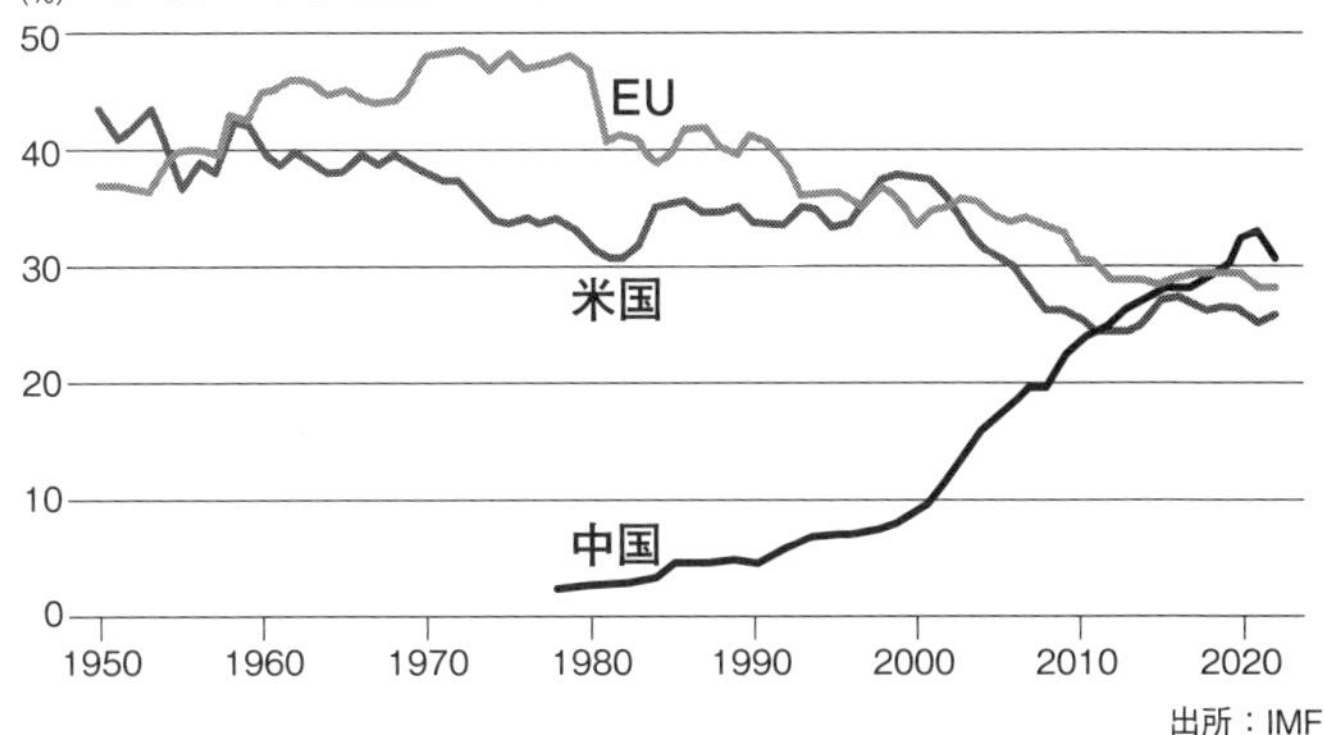

出所：IMF

上の図は購買力平価（こうばいりょくへいか）（PPP）でみた中国の国内総生産（GDP）が世界に占める割合。すでにアメリカとEUを上回っている。下は世界の貿易に占める中国の割合。こちらもアメリカ、EUを上回っている。英FT（フィナンシャル・タイムズ紙）の報道だ。

先物（さきもの）の取引市場で、すべての鉱物資源、石油からエネルギーから金（きん）でも食糧でも、何でも値段を付けている。これが先物市場（フューチャー）だ。ここも今はシカゴのＣＭＥの子会社である。

このようにして、中国は今は資本家を大事にする。このことを私たちは分からなければいけない。能力のある人間を大事にするということだ。

能力というのは、ただ単に学校でお勉強ができるだけではない。経営の才能ということだ。利益を生み出す力がある者を、大切に処遇（しょぐう）することで企業が成長して、従業員（社員）も豊かになる。人々を上手に使って利益を出し、給料をちゃんと払える。こういう人間を大事にするということを、死ぬほど中国人は分かった。

中国人は１９７８年12月18日に、「改革開放」宣言を鄧小平がして、地獄の底から這（は）い上がった。鄧小平たちは、欧米の資本主義に屈服してその真似をする者たち、の意味で毛嫌いされ、走資派（そうしは）と呼ばれた。

文革が終わった後も、古い毛沢東思想にこだわった連中は、鄧小平一派をものすごく嫌い続けた。その最後の将軍が、去年、失脚した劉亜洲（りゅうあしゅう）上将（大将）だ。２０２１年にこの男が、汚職容疑で逮捕されたと報じられた。反（はん）改革派の最後のイデオローグで、この男も太子党で一応、理論家だ。軍の中の軍制思想を担当していた。

改革開放宣言の11年後に、天安門事件が起きた（1989年6月4日）。中国では六四事件と言う。この抗議運動に参加して、民主化を要求した学生たちは全て大学の寮（ドーミトリィ）に逃げ帰ったあと捕まった。そして、どんどん外国に出て行った。エリートなら国費留学生として行った。そして、後に自分の思想（信念）を変えた。思想転向（コンヴァージョン）した。自分たちの改革要求が、幼稚なものであり、アメリカのＣＩＡに操られていたことを理解した。

天安門広場の騒乱で死んだ２００人ぐらいの死者は、ほとんどが周囲から集まった少年たちである。この時の衝突で人民解放軍の兵士も50人くらい死んでいる。広場にいた学生たちは、劉暁波（当時、北京師範大学講師。のちにノーベル平和賞）を軍との交渉者にして、広場から全員で退避して行った。民主化運動の主力だった学生たちの中から死者は１人も出ていない。

私は自分で調べ続けて、その証拠を集めている。私と対談した石平氏は嘘つきだった。「北京大学の僕の友人も（天安門で）死んだよ」と彼は言ったがウソだ。私は石平氏と対談したい。まぁ、そんなに私に怒るのはやめなさい。今から、本当に本気で対談（論争）をしましょう。これは私から彼への訴えである。

天安門虐殺（massacre マサカ）と西側世界で言われ続けて現在に至る。

この時、李克強は、北京大学の同級生は広場に行ったのに、ひとり、教室にいて、じっと耐えていた。この時の李克強の我慢が、今の中国人指導者たちの優秀さを、私たちに教えてくれる。

天安門事件（六四（ろくよん）事件）から5カ月後の11月9日に、ベルリンの壁が壊れた。この時から、ソビエト連邦の崩壊が始まり、2年後の1991年12月に、ロシアとCIS（シーアイエス）（独立国家共同体）になった。この時、世界史（ワールド・ヒストリー）が動いていた。


中国共産党自身がどんどん大きくコンバージョン（転向）した。考えを変えた。

そのとき始めたのが、「中国独特の社会主義的な市場経済」という経済体制である。アメリカ経済学のトップのポール・サミュエルソンたちは、1950年代から、「中国は成長はできない」と言い切っていた。「なぜなら価格（プライス）を決められないからだ。価格は市場（マーケット）でしか決まらない。価格が決められなければ、経済成長はない。社会の発展も進歩もない」と言い続けた。

鄧小平は「資本家を虐(いじ)めないことが何よりも大事だ」と、70年代に高度経済成長を遂げた日本から学んだ

1978年10月24日、当時副首相だった鄧小平は、目白の田中角栄邸を訪れた。このとき角栄から「政府主導型の産業育成(インダストリアル・ポリシー)による経済発展の重要性」を学んだ。その後の経済超(ちょう)大国、中国の礎(いしずえ)となった。

ところが、中国は価格を決められたらしいのだ。私もまだ確信はない。どうやって、中国で物価（物の値段）をつけられたのか。

値段なんて、そんなものメーカーが付ければいいじゃないか、という訳にはいかない。コスト計算してコストプラス2割ぐらいの利益分を加えて、「はい、これがこの商品の値段です」というような、そんな甘いものではないのだ。「市場が価格を決める」ということの恐ろしさが、資本主義の理論の根幹だ。それは果たして、お客（消費者）に買ってもらえるかどうか、ということでもある。

物のプライス（価格）をどう決めるか。これをサミュエルソンは、バーコフ・モデルという物理学の理論で証明した。例えば、カップの中のコーヒーに砂糖とかミルクを溶かして匙でぐるぐると混ぜると、渦が中心で一点に収れん convergence（コンバージェンス）する。あれが価格の決定だ。

それを数式で表して、物理学のバーコフ・モデルを使って、すべていろんな渦がいっぱいできるのだが、それらが一つの渦で一点に収れんする。これが価格だ。この物理学の数式を使って、サミュエルソンは「こうやって価格が生まれる」という理論を発表した。だから、数理経済学のチャンピオンとなった。当然、ノーベル賞（1970年）を貰った。

このサミュエルソンと日本の森嶋通夫は、マルクス経済学を巡って論争をしたのだ。

中国版のオリガルヒを絶対に潰さない

これと同じ、あるいはその擬似的なもので、「価格は決まる」を中国はやってみせたらしい。どうやって中国で価格が決定されて生まれたか。その過程は、まだ私に分からない。ただ、闇市(やみいち)から始まっている。こそこそと、政府の管理の外側で、物々交換みたいな闇市から鄧小平時代の経済成長は始まっている。この辺りのことを、まだ私もはっきりと理解していない。

ここで生来(せいらい)、商業(金儲け(かねもう))能力のある人間を大事にせよ、と。ここがものすごく大事だ。だから同時に、人間の能力は平等でない、と中国人は皆で理解した。このことが中国の巨大な成長の原動力となった。

「あの劉さんの工場に行けば、給料がちゃんと貰えるよ」と、中国民衆は有能な経営者の処(ところ)に集まった。そこは、廃業になったボロボロの国営企業の建物だ。その前に1980年代から万元戸(まんげんこ)という豊かになった農民たちが出現した。そこで使ってもらえればゴハンが食べられると。

その当時（50年前だ）、1万元（今の1元＝20円で計算して、たったの20万円だ）で、人々に羨ましがられる高収入だったのだ。今なら年収20億円だろうから、中国の経済は、この50年間で10万倍になったのだ。ウソではない。その富裕になった中国人たち（年収が100億円＝5億元とか）が、日本旅行に来て、何食わぬ顔をして、私たちの周りにたくさんいる。それに比べて私たちは……貧乏になった。

今の中国では、ヨーロッパやアメリカから帰ってきた優秀な人間（人材）は、25、26歳でも年収30万ドル（4500万円）から始まる。

私が35年前（1988年）に中国に行ったとき、中国の若い労働者の月収（日給）は800元だった。1万円ぐらいだった。1元＝12円だったから。そこらのお店の店員や配膳係（ウエイトレス）の月収は、この1万円にも届かなかった。日本人の月給は、その頃もう初任給で20万円だったから、中国人の給料は日本人の20分の1だった。

あれから35年たつと、もう中国のほうが給料も上になりそうだ。大企業や公務員の上のほうのクラスは、すでに日本を抜いている。下のほうの人々は、まだ年収200万円ぐらいだと言われている。日本はまだ平均年収が会社員（労働者）で360万円とかある。

ただ、もうそれだって怪しくなってきた。台湾と韓国にも日本は抜かれている。1人当たり(パー・キャピタ)のGDPでは、日本は世界で23位だ。だから日本は、もう衰退国(デクライン・ステイト)である。

中国は、この新興のお金持ち(企業経営で成り上がった者たち。ヌーボーリシェ)を大事にするという思想で、中国版のオリガルヒたちを絶対に潰さない、大事にする。ここに今の中国政府の大きな決断がある。これを私たちが理解しなければいけない。

やがて私が、中国共産党の幹部や、理論家たちと議論するときに、この問題をバシっと大きく提出して「中国は1950年から1960年代まで大きく間違ったのだ。そのことに気づいて深く反省して、そして今の豊かな中国がある」と認めさせようと思っている。

日本の**①の反共右翼**なんかに、私は鼻もひっかけない。あっかんべー。反共右翼(統一教会)たちは、「共産党が日本にも攻めてくる。自分たち、金持ちと経営者は皆殺しにされる」理論で、安倍晋三のような人間の、頭のてっぺんから腹の底までできている。

統一教会(勝共連合。共産主義に勝つの意味)の反共思想は、この考えを根本にしている宗教的信念だ。「自分たちは、共産主義者(アカ)に殺される。だから、あいつらと戦って、あいつらを反対に、撲滅してやる」という思想である。

私は、今、このような下品で激しい書き方をしているが、どう考えても、安倍晋三たちの堅い信念は、このようなものである。一番分かり易く書くと、このように書くしかない。

中国は他国に攻め入るどころではない

私は、こういうことで、もう何十年も、自分の思考の時間を使って来た人間である。この私が今でもやっぱり、このようなビックリするぐらい単純な、「共産主義の中国とロシアが日本に攻めて来る。それと戦って勝たなければいけない」と強烈に強固に考えている人々が、今も日本に５００万人ぐらいいることが分かっている。私の友人たちにもいる。だから、私は、このように書く。

ところが、中国（人）のほうは、そんなことは考えていない。自分たちがこれまでやって来たことと、それへの反省と、そして自分たちが豊かになること、で必死なのだ。ただし、アメリカが核兵器を発射して中国とロシアを滅ぼそうと決断したら、その時は、容赦なく、自分の方も反撃して核兵器を発射してアメリカを壊滅させる、と考えている。この両者の睨み合いは、今も続いている。

そして中国は、さらに、そのあとの、次のことを考えている。

中国は、アメリカがガタンと国力が落ちて、世界覇権（グローバル・パウア）を投げ棄てたとき、それを自分で拾うかどうかを、今、真剣に考え込んでいる。その負担（苦しみ）を背負うことを躊躇している。

これからの世界全体を、自分たちが経営し管理します、と進んで言いたくない。世界人口80億の人間を、中国が面倒を見るのがイヤだ。それでも、まあ各々の国は自分の力でやってゆくから、中国はこのことでは「周囲から望まれるのなら、自分がトップの地位を引き受けましょう」と納得している。

その時にである。その時、一体、何という思想で生きていくか。このことを私たち日本人は、中国と一緒に真剣に考えなければいけないのである。同じ東アジア文明の一部の人間として。

労働組合を中国は認めていない。なぜなら既に資本主義から解放された社会ということになっているから、労働組合は要らない、と。

それでも中国には地下労働組合がある。合法的なストライキはできない。だが、日本だって自民党独裁政治で、中小企業には労働組合はないところが多い。ここで困ったのは労働基準監督署（厚労省）だ。「何とか従業員の協議会を作って、その代表者たちによる経営側への要求書を提出してください。それを役所（労基署）にもください」という感じである。

日本の会社の労働組合も死んでいる。現に日本の労働組合の総まとめの連合（ナショナル・センター）のトップを、統一教会の女、芳野友子に握られているようでは、全く話にならない。「驚いた」を通り越す事態である。日本の労働組合も、ストライキは実質できないのだから中国と同じだ。

どこの国も労働組合のストライキなんか、しない、させない。フランス以外は。団結権とか争議権（団体交渉権）がいくら有るといっても、実際は無い。あの、潰れかかって外資に売られた西武デパートの組合のストライキぐらいしかない。あのストライキは、みんなから「かわいそうに」と同情を買った。

イデアとロゴス

イデオロギーというドイツ語は、イデアとロゴスという言葉から出来ている。イデオロ

中国共産党は大きく決めたのだ。

人間の能力は平等ではない

人間の権利(人権)は
平等であるが、
能力には差がある
ことを認める。

大躍進運動(1958〜1962年)の失敗で
2,300万人が餓死した

と

文化大革命(1966〜1976年)の10年間で
約1億人の農民が餓死。下放学生も含めて指導部と知識層の500万人が獄死、撲殺、自殺した。47年前までの、あの地獄の苦しみの中から、中国(人)が極貧のなかから這い上がることで学んで知った。

ルソーの思想が最悪だった。これを書くと、私はもう左翼(いわゆる社会主義者)でなくなる。だが、正直に書く。

私はこの研究を
この10年間やってきた。

資本家 Kapitalist(c) = 有能(優秀)な経営者
を殺さない。大事にする。

||

金儲けの精神を
痛めつけない。

||

ユダヤ人の精神は中国では上海人が体現する

人間としてワルであることも
資本主義的繁栄に必要。
社会の繁栄

(人間の悪い面=
過剰性欲やバクチ根性)

ただし、あまりにも歪んだ人間たちを許してはいけない。
出世競争と学歴競争に走る者たちを批判する。
能力選抜は自然な競争に任せる。
地方の貧しい地帯の有能な人間を、周りが気づいて中央に抜擢してゆく。

(2023年9月27日作成)

ギー ideology ならみんな知っているだろう。だが日本語に何と訳したらいいか、分からない。「政治思想」が一番近いが、これとも違う。イデアとロゴスの合成語だ。

イデア（idea アイデア）は思想だ。これはプラトンが使い始めた。その前は、ギリシア人たちは、これをエイドス eidos と言っていた。エイドスとは、幻影、幻想、幻、お化け、幽霊、霊魂、全部エイドスだ。これは idea と等しい。それと対立するものとして、ヒューレ hyle がある。

このヒューレ（形相と訳す）は、物質だ。形相で、形あるもの即ち物質（マター）。物質がヒューレ。それに対して、霊魂、幻、幻想、お化け系をイデア（エイドス）と呼ぶ。これがヨーロッパ人の思考（思想）の大骨格だ。このイデア（思考、霊魂）と、ヒューレ（物質。もの）の2つで、西洋人の頭（思考、知能）は大きく出来ている。

このことを、日本人は誰からもはっきりと教えられていない。だから、みんな誰も知らない。この程度の低知能の国民である。私、副島隆彦は、50年かけて自力で知った。

プラトンがイデアと言った。観念。これには質量（mass 即ち、重さ）がない。フワフワしている。人間の知能（intellect インテレクト）もこっちに入る。重さがない。

このあとは副島隆彦の業績だ。この霊魂（スピリット、イデア）と、知能、思考は同じも

物質（もの）と霊魂（スピリット）の2つで、この世の中（世界）は大きくは出来ている。だから神は要（い）らない

この世は2つで出来ている	物　質	と	霊魂（思考）
2元論（デュアリズム）である	matter（マター） 物質	と and	soul（ソウル）、spirit＝mind 霊、魂　霊魂　思考、知能
古代ギリシア哲学のアリストテレスは	hyle（ヒューレ） 質料（しつりょう） Physica（フィジカ） 形あるもの、自然学 物理学 Metaphysica（メタフィジカ） 形を成す前の基礎、土台 × 形而上学（けいじじょう）		eidos（エイドス） 形相（けいそう）　幻影 先生のプラトンのidea（(ア)イデア）もここに入る。たとえば「こういう家を建てたい」という形相が完成したその家に入っている。これがeidos＝ideaだ。
ヨーロッパ近代哲学のデカルト（仏）は 物質と霊魂2元論（×心身2元論は間違い訳）	仏語では materiel（マテリエ） l' esprit et corps 人間の体は物質　corps（コルプス）=body（ボディ）	と et	l' esprit（レスプリ）＝spirit（スピリット） 霊、魂、霊魂 cf.l' ame
現代の英語では	matter（マター） 物質 material（マテリアル）, physical（フィジカル）		mind（マインド） 思考、知能、精神 （×心 は誤訳）
カント（独）は 理性（Vernunft（フェアヌンフト）、reason（リーズン）、raison（レゾン））と合理（Ratio（ラティオ）、ratio（レイシオ））	Material（マテリアール） 物質 ＝ Gegenstand（ゲーゲンシュタント） 'Leib（ライプ） unt（ウント） Seele（ゼーレ）'　「肉体と精神」	と unt	Geist（ガイスト） 精神、思考、知能 ＝ Seele（ゼーレ）　Gespenst（ゲシュペンスト） 霊、魂　幽（亡）霊、幻影
ヘーゲルは	……		Weltgeist（ヴェルトガイスト）　世界精神 ↓ Geist　精神
マルクスは	Materialismus（マテリアリスムス） 物質（だけ）主義　唯物論（ゆいぶつろん）		ゴースト ＝ ghost　幽霊、妖怪、お化け 「共産主義という霊魂（ガイスト）（精神、妖怪）が世界をうろついている」

のだ。重さがない。脳の中に有る。言葉（ロゴス）で表す。言葉がロゴスだから、イデアとロゴスで合わせてイデオロギーだ。知識、思想は、言葉（ロゴス）で組み立てていく。ロゴス logos はロジックス logics になり、論理学（ろんりがく）である。論理（ロジック）が生まれる。理論（りろん）（theory セオリー）は、さらにこのロジックス（論理）を組み立てることから出てくる。

　そして、この構造体で、その基礎、土台、即ちメタ meta のところにイデア・ロゴスが有る。その上に、今で言えば半導体のような現代最先端の機械が発明（インヴェンション）されて乗る。だから、私たちのスマホ（通信機械）の土台のところにイデア・ロゴスがある。そして、通信機器もロゴス（言語）（コトバ）とイデア（観念）で出来ている。これ以外のものではない。人間が作（つく）ったものだ。この巨大通信屋たちが物流（ぶつりゅう）まで握ったのが現在の私たちの世界だ。Ｐ１０９の図のとおりだ。

　しかし、それ以外にやっぱり重厚長大（じゅうこうちょうだい）が存在する。重工業で、重化学業で、高度技術で、設備として大きい。今でも、このモノヅクリ monozukuri 系の重厚長大が厳然として存在する。これを無視してはいけない。大きなプラントである設備や工場が大事なのだ。

　毎日、スマホばっかり、朝から晩までいじっているのは間違った生き方だ。今、人類は、世界中でスマホ教の信者である。たかが巨大通信屋たち、の奴隷である。やがて次のもの

（次の神さま）に代わるのだろうが、それが何なのか、分からない。

賃労働と資本

これから大事なのは、だから「賃労働と資本の対立」のほうを、どうやって人類（人間）が乗り越えてゆくか、である。中国の指導部は、今、真剣にこのことを考えている。日本から私たちも、これに追いついてゆかなければならない。これは、ウエイジ・レイバー（wage labour）とカピタール（capital）の闘いである。『資本論（ダス・カピタール）』（1867年刊）を書く23年前に、マルクスが発見した。賃労働と資本の永遠の対立、非和解的対立と言われている。これが絶対的に存在する。

今もそうだ。前のほうで書いたとおり、あなたは、賃労働の側か、資本の側か、どちらか。経営側に回る人間と、労働者で終わる人間の区別は徹底的に厳然として現在でも、ものすごいものだ。この原理を無視して、新しい人間世界を作ってゆくことはできない。この問題を見て見ぬフリをして「自分には関係（カンケー）ネー。そんなこと」と言う者は悪質な人間だ。

さきほど言った労働組合を中国、ロシアは作れないという問題も、ここに関わっている。

このウエイジ・レイバー対カピタールの闘いの問題を何とか部分的でいいから、解決しなければならない。

佐藤優氏と私が話していた時、彼は言った。マルクスの『資本論』の勉強をしていてはっきり分かったのは、商品の生産プロセス（生産過程）のところでしか労働者は取り分を要求できない。労働者への配分（取り分、分け前）は、商品が作られるまでの費用（コスト）の中にしかない。

商品の流通過程というのが次にある。ここで商人（商業資本）が頑張る。商品は売れなければゴミ（無価値）になる。あとは最終利益の「資本の分配過程」というのが有る。分配過程は資本（カピタール）処分の問題だ。マルクスはこれを「上部構造、下部構造」という言葉でも表した。

カピタール（資本）は、この3要素に分かれる。この資本の処分過程は、土地から生まれる地代（レント）。労働から生まれる賃金。あとは資本から生まれる利潤（profit プロフィット）。この3つの要素から成る。

資本の分配過程、即ち利益の処分段階は、資本家（経営者）と地主と銀行の3者でやる。ここには、労働者は関与できない。労働分配率は商品の製造段階（費用）の中でしか主張

人類にとっての最大問題を解くべき時

今はまだ

GAFA+MS（ガーファ マイクロソフト）がのさばっている。この巨大通信会社たちが物流（commerce）まで抑え、文化、教養も乗っ取った。テレビ、新聞、出版の激しい衰退

スマホとYouTubeとSNS

通信機器にすぎない。半導体も電子デバイスだ。monozukuri（ものづくり）、製造業は全て中国が中心

→

こっちのほうが人類にとってより重要

wage labour（ウエイジ・レイバラー）賃労働者 vs. と kapitalist（キャピタリスト）資本家 の非和解的対立

カール・マルクスが1844年（24歳）に『経済学・哲学草稿（そうこう）』で発見した原理（プリンシプル）

Das Prinzip : der unversohnliche Gegensatz zwischen Lohnarbeit und Kapital

ダス・プリンツィープ：デア・ウンフェアゼーンリヒェ・ゲーゲンザッツ・ツヴィッシェン・ローンアルバイト・ウント・カピタール

↑

この人類の最大難問を、中国に出現する大天才たちが200年ぶりに部分解明（解決）するだろう。もう核戦争とWWⅢなんか怖くない。

○メタとは、基本、土台（下のほう）のことだ。×形而上学（けいじじょうがく）は誤訳。

Meta-physica メタフィジカは、Phisica（自然学、物理学）のあと（after）に書かれたが、学問の土台、基礎のことだ。
そして、イデア（思考、霊魂）＋ロゴス（言葉、理論）＝イデオロギー
Idea logos ideology

できない。土地、建物からレント（地代と家賃）が生まれる。これが今も、ものすごく大きい。家賃収入を握っている地主、あるいはビルオーナー、アパートの経営者たち、これら地主（ランドロード）が強い。貧しい都市労働者（サラリーマン）は、どうかすると月給(サラリー)の4割ぐらいを家賃(レント)に払っている。

もう1つ、利益処分のところに銀行が関わる。金融(きんゆう)資本（フィナンツ・カピタール）だ。資本家にお金を貸している。貸したら毎月インタレスト（利息）を取る。しかも、この銀行業が、他の多くの産業資本家を支配する。やっぱり銀行と地主と資本家。この3つは滅ぼせない。

この資本主義の大きな骨格を抜きにして、通信から物流までを握ったGAFA(ガーファ)+MS(エムエス)がすばらしい、といくら言っても大したことはない。重厚長大のものづくり（製造業）の資本家たちが、頑強に存在する。こっちのほうが大事なのだ。たかがスマホ屋のくせに威張るんじゃない。この大きな見方ができて初めて、次の新しい人類の思想が生まれる。

ヘルシャフトというドイツ語がある。支配(しはい)（支配従属関係）という意味だ。ヘル Hel というのは親分という意味で、支配者。ヘルシャフトという言葉をマックス・ヴェーバーがマルクスよりもよく使った。

あとマハト(macht)、力(ちから)、権力がある。これに対して同じ力(ちから)でもゲバルト(die Gewalt)は暴力や強制力の物理的な力だ。支配と権力はマックス・ヴェーバーが使ったが、これはマルクスの思想では上部構造と下部構造とした。上部構造は宗教とか国だ。下部(かぶ)構造が私たちの生(なま)の生活だ。

上部構造としては幻想の共同体なのだ。国家というのはどこにも無い、と言えば無い。有るのは国境線とか、国会議事堂(議会)や政府の建物が有るとか言っているだけのことで、お役所、内閣が存在するも含めて、そんなものは空無だ。支配と権力が存在するだけだ。

下部構造のところに、大衆の生活というのがある。大衆(ピーポー)はマスともホイポロイ hoi polloi とも言う。あるいはピーポー people だ。貧乏人大衆である。これが先ほど言ったウエイジ・レイバラー、労働者として原理的に存在する。貧乏人は賃金(ウエイジ)をもらって生きる。

「賃労働と資本の非和解的対立」について

カール・マルクスは、1844年(25歳のとき)に、『経済学・哲学草稿(そうこう)』という論文を書いた。略して『経哲草稿（マニュスクリプト）』と言う。この論文（本）がマルクス主義の出発点であると、現在では考えられている（1962年から）。この本の初めの部分（冒頭（ぼうとう））に、簡単に、マルクスの思想が書かれている。

労賃は、資本家と労働者とのあいだの敵対的闘争によって決まる。勝利の必然性は、資本家のがわにある。資本家が労働者なしに生きるほうが、後者が前者なしに生きるよりも長くできる。資本家たちのあいだの結合は慣習的で効果があるが、労働者たちの結合は禁止されており、彼らにとって悪い諸結果をともなう。そのうえ地主と資本家は、彼らの収入に産業上の利益をつけくわえることができる。しかし、労働者は、彼の産業上の所得に地代も資本利子もつけくわえることはできない。それゆえに（職を求めての）競争は、労働者たちのあいだで非常に大きい。こうしてただ労働者にとってだけ、資本と土地所有と労働との分離は、一つの必然的、本質的、かつ有害な分離である。資本と土地所有は、この抽象のうちとどまる必要はないけれども、労働者の労働はそうはいかないのである。

（カール・マルクス『経済学・哲学草稿』）

中国は今から、マルクスが発見した「賃労働と資本 LOHNARBEIT（ローンアルバルト） UND KAPITAL（ウントカピタール） の永遠の対立」の難問に立ち向かう

マルクスの『経済学・哲学草稿』（1844年著、1932年刊。日本語訳大月書店、1963年刊）。中国が平和な帝国として世界覇権をこれからの100年維持するには、現在の資本主義（カピタリスムス）に取って代わる新しい思想を、部分的でいいから作らないと済まない。

このようにマルクスは、今の私たちが読んでも十分に分かることを書いている。賃労働者（いわゆるサラリーマン、勤労者）の側に身を置くか、それとも、自分の能力（才覚）と幸運で資本家（企業経営者）の側に這い上がれるか。あるいは、親の財産を引き継いで地主（土地及び賃貸し建物の所有者）の側に、自分の身を置くか。この3者のいずれかの人生を人間は営む。

それ以外に、現代社会では、多くの職種の自営業者を生み出しているが、この人々のことは、ここでは捨象する。

若いマルクスが当時、広く国民経済学と呼ばれた、イギリスの初期の近代経済学者であるアダム・スミスとリカードウの著作から多くのことを学んだ。そのことは、この『経哲草稿』の中に、彼らの文章がたくさん引用され言及されていることからも分かる。

今の中国人の秀才たちは、中学生の頃から、このマルクスの思想を学校で叩き込まれただろう。だから、この『経哲草稿』から『資本論』（第1巻は1867年刊）に続く、多くの本の重要個所を暗誦できるくらいになっている。

1848年2月のパリでの民衆蜂起である2月革命が敗北したあと（30歳）、マルクスはケルンに戻り「新ライン新聞」の編集長（主筆）として、「賃労働と資本」"Lohnarbeit und Kapital, 1849"（この内容でのちに1864年にロンドンで演説した〈46歳〉）を書いた。この年、マルクスはロンドンに亡命して、1883年（63歳10カ月で死ぬ）まで、ずっとイギリスにいた。"国際労働者協会" The International Workingmen's Association を作って、活動した。これが「第1インターナショナル」である。

だが、このあと1871年（53歳）のときに、パリで、普仏（プロシア・フランス）戦争でフランス軍（ナポレオン3世）が敗れたことで、パリで下層市民と労働者が武装蜂起した。これが「パリ・コンミューン」である。4カ月で民衆側は厳しく鎮圧された。他のプルードン派、バクーニン派、ブランキー派と共に、マルクス派の労働者と活動家たちも600人くらいが殺された。

このパリ・コンミューンの敗北のあと、がっくり来たマルクスは、次第に廃人のようになった。思考力を失っていった。以後、死ぬまでの12年間、娘たちに連れられて、イギリスだけでなくドイツや、遠くアルジェリアの温泉（湯治場）に行っている。当時のヨーロッパ人は温泉が大好きだった。マルクスは63歳でロンドンで死んだ。

マルクスの思想が、再び中国で隆盛するだろう。そして今度こそ、現実味のある思想として人類（人間全体）の幸福ための思想として、再研究されなければ済まない。この時のために私は今のうちから、だから「賃労働と資本の非和解的な対立」を、キレイ事の夢見心地の宗教としてでなく、何とか部分的に解決（ソルーション）する思想が、中国で生まれることを、日本から後押ししようと思う。だから、私はこの本を書いている。引用を続ける。

資本と労働は最初は一体だった。次に、分離、隔離した。けれども、互いに積極的な条件として相手を助長促進しあった。

〔第二に〕両者の対立が起きた。互いに相手を排除しあう。労働者は資本家を、またその逆に［資本家は労働者を］、自分の非―現存在として知る。どちらも相手からその現存在を奪い取ろうとつとめる。

〔第三に〕各者の自分自身に対する対立。資本＝集積された労働＝労働。資本そのものは自分とその利子とに分かれる。また後者はさらに利子と利得とに分かれる。資本家が残り、犠牲に供される。（一部の）資本家は労働者階級へと転落し、また労働者

郵便はがき

差出有効期間
2025年8月
19日まで
切手はいりません

162-8790

東京都新宿区矢来町114番地
神楽坂高橋ビル5F

株式会社ビジネス社

愛読者係行

ご住所　〒		
TEL：　（　　）　FAX：　（　　）		
フリガナ お名前	年齢	性別 男・
ご職業	メールアドレスまたはFAX メールまたはFAXによる新刊案内をご希望の方は、ご記入下さい。	
お買い上げ日・書店名 年　月　日　市区町村　書		

ご購読ありがとうございました。今後の出版企画の参考に
致したいと存じますので、ぜひご意見をお聞かせください。

書籍名

買い求めの動機

書店で見て　2　新聞広告（紙名　　　　　　　　　　）

書評・新刊紹介（掲載紙名　　　　　　　　　　　　）

知人・同僚のすすめ　5　上司、先生のすすめ　6　その他

の装幀（カバー），デザインなどに関するご感想

洒落ていた　2　めだっていた　3　タイトルがよい

まあまあ　5　よくない　6　その他(　　　　　　　　　　)

の定価についてご意見をお聞かせください

高い　2　安い　3　手ごろ　4　その他(　　　　　　　　　　)

についてご意見をお聞かせください

な出版をご希望ですか（著者、テーマなど）

は——しかしただ例外的にのみ——（這い上がって）資本家となる。労働は資本の契機、その費用。したがって労賃は資本の一犠牲である。
労働は自分と労賃とに分かれる。労働者そのものが一資本、一商品である。
敵対的な相互的対立に入る。

（『経済学・哲学草稿』大月書店国民文庫　1964年初版。翻訳者 藤野渉。P130）

このように、労働(アルバイト)は資本(カピタール)と元々一体であった。それが人類の歴史の中で分離して、やがて対立するようになった。労働（力）は、商品(ヴァーレ)の一種として市場で売り買い（求人、求職）されるようになった。資本家たちに買われる。

同時に、労働は資本の一形態である。マルクスが『資本論(ダス・カピタール)』で描いたのは、資本というものが「労働→商品→貨幣→商品……」と、次々と変態(へんたい)（メタモルフォーシス）する、その全体像である。変態(へんたい)というのは、昆虫の蝶々(ちょうちょう)が卵から芋虫(いもむし)になり、蛹(さなぎ)になり、羽化(うか)して、やがて蝶々に変身（メタモルフォーシス）することを表している。

私は、この『経哲草稿』を読んだ1973年に大学に入った（20歳）。それから今年2023年で50年が経(た)った（今70歳）。私自身にとっての、マルクス思想との苦しい付き合いの人生であった。

中国の苦闘の50年間は、私自身の人生の苦闘と全く同じ時である。繰り返すが、私は習近平と同じ年である。私は習近平の、あのふてぶてしさと愛嬌の両方が手に取るように分かる。日本人は中国人を理解（フェアウンス）できる。西洋白人たちは、中国人を理解できないだろう。

中国と中東、グローバルサウスの動き

ハマスを作ったのはＣＩＡである

ここからは、中国から見た世界政治の動きを活写していく。

高地アジアの一国であるアフガニスタンは、タリバーンという穏やかな民族主義のイスラム教原理主義による統治で落ち着いた。一昨年２０２１年８月にアメリカ軍が撤退（エヴァキュエイション）した。タリバーンは〝イスラム教のリバータリアン〟と呼ばれる、インテリ学生僧たちによる政党である。

アメリカの泥臭い民衆主義（ポピュリズム）の政治思想であるリバータリアニズムについては、本書では説明しない。私、副島隆彦は、このリバータリアニズムの日本への紹介者であり、私自身がリバータリアン Libertarian である。

タリバーンたちはどんどん、現実味を増している。中国と仲がいい。

アメリカが撤退した後、アフガニスタンを統治しているタリバーンは、この章で詳しく説明する一帯一路会議に参加した。タリバーン政権を、まだどの国も正式に認めていないが、中国はいち早くカブールに大使館を開くことで、一帯一路の要路を押さえた。記事を

ハマスはアメリカが作った(1987年)。そのハマスを使って突如、イスラエル奇襲をやらせた。これがガザ戦争の真実だ

家を壊され家族を失い、途方に暮れるガザのパレスチナ人たち（写真は10月31日）。ハマスに先導され騙(だま)されて、決死隊（特攻(とっこう)隊。commando(コマンドウ)。突撃兵。本当は、使い捨(す)ての捨て駒(ごま)部隊だ）で、1400人のパレスチナ青年が死んだ。ウクライナ兵士も同じだ。

紹介する。

「タリバーン、中国との経済関係強化「一帯一路」会議参加」

アフガニスタンのイスラム主義組織タリバーン高官は2023年10月18日、訪問中の中国・北京でAFPに対し、中国との経済協力を強化する方針を表明した。

巨大経済圏構想の「一帯一路」（ワン・ベルト・ワン・ロード・イニシアティヴ）の国際会議に出席するため北京を訪れていたヌールディン・アジジ商工相は中国との会談について、「投資および良好な2カ国間の良好な関係維持について話し合う」と述べた。

タリバーンは2021年8月、米軍撤退の混乱に乗じ再び実権を握ったが、タリバーンを正式に承認した国はない。だが、タリバーン暫定政権は中国政府と外交関係を維持しており、中国はアジジ氏を一帯一路の提唱から10年を迎えるのを記念し、会議に招待した。アジジ氏はAFPに「われわれは、すでに多数のプロジェクトについて中国と契約を交わしている」と述べた。

アフガニスタンは銅や金など鉱物資源が豊富で、一帯一路への参加は重要な意味を持つ。アジジ氏は「中国はどの国よりもアフガニスタンの発展に関心を持ってくれる」とし、一帯一路への正式参加に向け協議中だと付け加えた。

数十年にわたり紛争が続いたアフガニスタンの安定維持は、国境の安定化と隣国パキスタンでの戦略的インフラ投資確保を目指す中国にとって、重要事項となっている。

（ＡＦＰ　２０２３年10月19日）

アフガニスタンを捨てて、アメリカが再び手を突っ込んできたのが中東地域（リージョン）である。ガザ戦争（イスラエル・ハマス戦争）について説明する。

２０２３年10月７日に、イスラエルのガザ地区（Gaza strip ガザ・ストリップ。飛び地の意味）で戦争が始まった。ガザ地区から出撃したハマス Hamas という武装集団が襲撃して、イスラエル側で１４００人の死者が出た。このあとイスラエル軍の反撃で、どうやら６０００人ぐらいのパレスチナ人が死んだ。10月25日現在である（やがて1万人を超えた。このうち子供が４０００人）。

この新しい戦争のことを、私は書かなければいけないとずっと思っていた。私は、この間（かん）に和歌山市での講演に行って、そのあと奈良県のあちこちを日本の古代史の始まりの探索、追究として、最後の結論を作るために調べて来た。

この新たな戦争のことは、皆、テレビやネットの報道などで知っているとおりである。私に、特別の情報や知識はない。

まず、私が言うべきことは、世界中の人々が、ウクライナ戦争に次いで再び中東（ミドル・イースト）で戦乱の火が上がったので、激しく動揺し、狼狽えたことだ。特に女と子どもたちが、「第3次世界大戦になるの？」と脅えた。現地のガザ地区でイスラエルからのミサイル（ロケット砲）攻撃で負傷しているパレスチナの子どもたちの悲惨なニューズ映像を見て、日本人も驚いたようである。

私は世界中の民衆が、次の大きな戦争を予感して、恐怖することを軽く考えない。民衆が受ける大きな受容感覚が、世界政治と歴史を作っていくからだ。

ここから先が、私、副島隆彦の考えである。まずはっきり書くが、このハマス Hamas という組織は、パレスチナの民衆を代表する組織ではない。パレスチナ人の人口は900万人だ。このうち500万人くらいが難民として諸外国にも散らばって暮らしている。そのうちの220万人が、固まって居住するガザ地区を政治的、軍事的に制圧しているのが、ハマスという集団である。

3月に中国がサウジとイランの仲直り（国交回復）を仲介（ミーディエイション）した。これで中東全体が平和になる。これを英と米がガザ戦争（10月7日）で妨害した

右、イランのアリー・シャムハーニー国家最高安全保障評議会書記。中央、王毅（おうき）中国外相。左はサウジアラビアのムサアド・ビン・モハメド・アル・アイバン国務相兼国家安全保障顧問。サウジとイランは2016年に国交を断絶していた。2023年3月10日、中国の仲介で突如、仲直りして和平協定（ピース・トリーティー）を結んだ。中東で戦争の危険性が大幅に減って、周りの国々も喜んだ。アラブ人全体（イスラム教徒）が、「戦争を起こさせるのは、いつもアメリカ、イギリスだ」と気づいている。

私はハマスは、アメリカのＣＩＡが、１９８７年に作った武装組織だと考えている。だから今回のガザ地区戦争は、真実は、アメリカ政府が、仕組んで仕掛けたものである。ハマスを嗾けて、やらせた戦争である。なぜなのか。これから説明する。

パレスチナの若者はハマスに騙されて死んだ

この10月7日に、ガザ地区から突如、非戦闘地帯（緩衝地帯。ＤＭＺ ディーミリタライゼイション・ゾーン）の、幅1キロぐらいの砂漠を踏み越えて行って、イスラエル人の居住地区（キブツが多い）に銃や手榴弾（グレネイド）で突撃していった1万人ぐらいのハマスの戦闘員たちがいる。

ハマスは、パレスチナ民衆を代表する政治組織ではない。ならず者の集団に近い。あくまでＰＬＯ（パレスチナ解放機構、アッバース議長）のほうが、パレスチナ人の自治組織で政府である。ハマスを作って育てたのはアメリカである（１９８７年）。このハマスを、今回、故意にアメリカが暴発させたのである。

ハマスの１４００人ぐらいが、イスラエル側の郷土防衛隊によって、自衛の反撃で殺された。この時、ハマスは200人ぐらいのイスラエルの一般住民を人質（ホステイジ）に取って退却した。このハマスの突撃は、特攻隊（決死隊（コマンドウ））のやり方である。このハマスの兵士として死んだ、パレスチナ人の青年たちは、ハマスに焚（た）き付けられて騙（だま）されて、血気盛んとなって、イスラエルへの激しい憎しみと復讐心で突進して死んだのである。

どんな時代も、どこの国の戦争でも、騙されて最前線で死んでいく若者たちが存在する。哀（あわ）れなものだ。だが、これが人類の戦争の歴史である。

はじめに3500発のロケット砲が、ガザ地区の北部を占領するハマスの秘密基地から発射された。これがイスラエル側の居住地区に落ちて、無差別の死者も出たようだ。このガザから発射されたロケット弾の映像は、日本でもニューズ報道されて、私も見た。

ハマス側は、今も2万発のロケット弾を持っているという。それらはどこから来たのか。報道で流れたのは、「ウクライナに行ったはずの砲弾が、死の商人（death merchant デス・マーチャント、兵器商人）たちによって、ハマスに売却され引き渡された」であった。この裏側にアメリカ政府の動きがある。

従来ハマスは、ロケット弾など持っていなくて、粗末な手製の爆弾を作って、それを鉄の長い筒（つつ）で迫撃砲のようにして飛ばすやり方しかない。そういう粗雑なもの以外持っていなかった。今回、西側（ディープステイト）メディアの代表である英FT（フィナンシャル・タイムズ紙）は、「モハンメド・ディーフという、この男が今度のハマスからの攻撃の凶悪な主導者である。片手片足がない。この男をイスラエル側は首謀者として殺そうとしている」と報道した。

このモハンメド・ディーフの先生（師匠）が、ヤヒヤ・アーシュで、ハマス組織の中の一番の過激派であるようだ。手製のロケット弾を作ってきた人たちだそうだ。

ハマスは、1980年から、自分たちには兵器がないので、イスラエル軍に対して、「インティファーダ（抵抗）」と称して、青年たちが激しく石を投げる戦いを始めた。ハマスと言えば、この「インティファーダ」で有名だ。古代から、本当の戦争は、どこの国でも投石が中心だったろう。岩や石がまともに当たると本当に負傷する。

中国が成し遂げたイランとサウジの歴史的仲直り

今回のガザ戦争は、だから初めから深く仕組まれている。この10月7日の突如の戦闘で、ほぼ大きな衝突は終わりであると私は考える。なぜなら、この10月7日は、「第4次中東

もはや、石油(原油)だけではアラブ諸国は生きていけないと、サウジのサルマン国王(87歳)は分かっている。中国と組む

中国の習近平国家主席は、12月8日、訪問先のサウジアラビアのサルマン国王、そして国政を事実上取り仕切っている息子のムハンマド皇太子(MbS)とそれぞれ会談し、2年ごとの首脳会談や、同国との「包括的戦略パートナーシップ協定」に合意した。中国は伝統的に親米で中東地域の大国であるサウジに接近し、同地域への影響力を広げようとしている。(朝日新聞　2022年12月9日)

戦争（1973年10月7日）」のちょうど50周年にあたる日だ。私は大学生だったが、この日のことを新聞で読んで覚えている。

中東戦争の長い歴史については、ここでは説明しない。パレスチナ人の独立運動とイスラエル側の自衛（じえい）のための戦争としての、アラブ諸国との激しいぶつかり合いの枠組みが、1973年に決定した。それから丁度、50年が経（た）った。

なぜ、今度のガザ戦争が起きたのか。一番大きな理由と原因は、今年の3月10日に、中国（王毅（おうき）外相）が仲介して仲裁（ちゅうさい）（ミーディエイション）して、なんと、イランとサウジアラビアという中東の2つの大国が、和平の協議（ピース・トークス peace talks ）をして、国交を回復したことである（P125の写真）。

イランとサウジアラビアは、長年、激しく対立し争ってきたのだが、急に仲直りをして、中東（ミドル・イースト）に大きな平和（grand peace（グランド ピース） 大和（だいわ））をもたらすという動きに出た。それを中国が後押ししたという事実は、世界歴史上の大きな動きである。中国とサウジの関係を示す新聞記事を載せる。

「サウジと総額４兆円の投資覚書、影響力拡大図る中国」

サウジは中国の石油の主要な調達先で、中国税関総署によると、２０２１年のサウジ産原油の輸入量は全体の17％を占め、国別でトップだ。サウジにとっても13年以降、中国は最大の貿易相手国となっている。

今回、両国が調印した協定には、習氏が掲げる中国の巨大経済圏構想「一帯一路」と、サウジの国家改革指針「ビジョン２０３０」の連携が盛り込まれた。中国側の発表によると、習氏は会談で「二つの計画の連結を実行し、各分野の協力が成果を収めるよう推進したい」と述べたという。

今回両国が調印した投資案件はグリーン水素、太陽光、情報技術、自動運転技術、医療、住宅建設など多岐にわたり、総額約３００億ドル（約４兆円）に上る。

一方、中国側は今回の訪問で、米国を強く意識した。両国はサウジのクラウド技術やハイテク複合施設の建設に、中国通信大手・華為技術（ファーウェイ）が技術協力する覚書も交わした。

（朝日新聞　２０２２年12月９日）

このように、中東地域（リージョン）までも中国の影響下に入った。アメリカの支配から脱出しようとしている。

中東アラブの世界は、ほとんどがイスラム教徒だ。彼らが「私たちは、もうイギリスとアメリカに騙されて、中東で新たな戦乱が起きることを望まない。これまでに何度も騙されて、戦争をさせられた」と、大きく分かったので、大きな決断をしたのだ。

イランは、イスラム教の中でもシーア派（shiah 信者はシーアイト shiite という）という、やや差別されている宗派（セクト）の国である。シーア派は、ムハンマド（マホメット）以来の血筋を大切に考える。

その隣国のイラクは、このシーア派のほうが多数派の国である。イラク戦争（アメリカ軍が、２００３年3月20日のバクダッド爆撃から）で、16万人の兵力で侵略した。そしてサダム・フセインを捕まえて縛り首にした。この戦争のあと、イラクは弱体化していて、今はイランの影響下にある。

それに対してサウジアラビアは、イスラム教の中の主流派で、正統派とされるスンニ派（sunni 信者はスナイト sunite。ハンバル法学者集団による教義（きょうぎ）中心のイスラム思想）である。サウジアラビア国は、このスンニ派の中の、さらにワッハーブ派（ワッハービア）という矯（きょう）

激なセクトである。

それでもイランとサウジが今回、中国の仲裁で仲直りして、中東世界が団結したことは、ものすごく重要なことだ。

さらに、サウジとイスラエルがこの10年、仲良くなっている。ということは、イランとイスラエルも「もう憎み合うのはやめよう」という動きになっている。これにエジプトも加わっている。サウジとイスラエルが、国交回復（平和条約）を結ぶ、という動きにまでなっていた。

その矢先にガザ戦争が起きて（英と米に、お定まりで起こされて）、この中東全体の平和（戦争をもうしない）の動きが妨害された。だが、アラブ世界のイスラム教徒はみんな「アメリカいい加減にしろよ」という感じになっている。

だから、中東の平和を叩き壊すために、ワルのアメリカが動いて、再び中東で戦乱を引き起こすことを計画し実行したのが今度のガザ戦争だ。大きくは中国による次の世界覇権（世界の平和と安定を目指す）を邪魔して、妨害するための動きである。

もうこれ以上アメリカに騙されない中東諸国

ついこの間まで、イラク北部とシリアで、ＩＳ（アイエス。「イスラム国」という暴れ者の集団）が戦争をしていた。あのＩＳは、２０１４年の6月に突如、7万人の兵力でイラク北部に出現したのである。トヨタの新品の「ランドクルーザー」ＳＵＶ（砂漠に強い。アメリカのテキサス州のサンアントニオのトヨタの工場で製造した。荷台に機関銃の銃座を据え付けた）の、２０００台の堂々たる隊列を連ねて、出現した。トヨタは、「自分たちは何も分かりません」と声明を出した。

ＩＳは、ヒラリー・クリントンとジョン・マケインたち（ディープステイト）が、作って育てた〝狂ったイスラム聖戦主義者（ジハーディスト Jihadist）〟だ。だからハマスと同じだ。

ＩＳの幹部だったバグダディ以下の青年は、イラク戦争（２００３年から）で捕虜になったイラク人の若い兵士たちだ。サウジの北の砂漠にある、米軍の秘密の軍事基地（米空軍の大きな空港もある）で、米軍の特殊軍（スペシャル・フォーシズ。対テロリスト用の、ＣＩＡと米軍人の融合体）に、洗脳され、嗾けられて、ＩＳとなって暴れ出したのだ。そして、中東を再び火の海にした。

ISは、今やシリアでもほとんど全滅した（北部のイドリブ県に少し残っている）。

これに対して、アラブの民衆も指導者たちも、「もう戦争はイヤだ。アメリカが大キライだ」と腹の底から分かっている。

ガザ地区を軍事的に占拠しているハマスは、前述した通り、決してパレスチナ民衆の代表ではない。IS「イスラム国」や、今のウクライナのゼレンスキー政権（アゾフ大隊（バタリオン）。反ロシア反共右翼）と、全く同じ、英米によって作られて、操（あやつ）られている武装集団である。そして、アメリカによって、捨て駒、使い捨てにされる運命だ。証拠隠滅（いんめつ）のためだ。

今度のガザ戦争は、このような仕組みになっているから、普通の人々で、ちょっと世界政治に興味のあるレベルの人間たちでも、なかなか中東の全体像を理解できない。私、副島隆彦はハッキリ書くが、日本の新聞記者やテレビで世界政治評論をやっている学者たちレベルでも、私が今、書いていることを理解できない。

別に私は、私の考えに従え、という気はない。だが、これまで20年、副島隆彦の言論や知識、思想に付き合ってきた人たちは、「やっぱり、そうか」と静かに私の話を受け入れるだろう。

追い詰められているのはディープステイト

だから、前述したこの3月10日からの大きな動きである、中国が仲を取り持ったイランとサウジアラビアの国交回復（仲直り）が、これからも何があろうが、中東アラブ（イスラム教）世界全体で、進んでいくのである。だから、私は敢えて言います。

あんまり心配するな。もうアラブ人も、ユダヤ人も、戦争や戦乱を望んでいない。だからあえて、この中東地域（region リージョン）に、歴史的に、何度も戦争を持ち込む英と米が強く非難されるべきだ。本当にワルいやつらだ。上品そうにしているが。英と米の超財界人と軍需産業からなるディープステイト the Deep State の邪悪な連中の動きをこそ、私たちは凝視すべきだ。

そして、このことを中国の習近平も、ロシアのプーチンも、アメリカのトランプ大統領の勢力も、よーく分かっている。私たち日本からも、この大きな動きを支持し、賛同しなければいけない。

今、追い詰められているのは、いつもいつも、世界各地で戦争を起こさせようと画策している、英米のディープステイトである。もう、世界中にこのことはバレバレにバレて露見してしまっている。この、今の世界歴史（ワールドヒストリー）の大きな動きを、私たちは見誤ってはならない。

アラブ諸国の指導者たちは、この動きをよくよく分かっている。だから、ガザ戦争とまったく同じ時期に、北京で開かれた「一帯一路（いったいいちろ）（One Belt, One Road Initiative，OBOR ワン・ベルト・ワン・ロウド・イニシアティヴ）の国際フォーラム」（10月17日）に、170カ国の政府の代表団（デレゲイト）が集まったのだ。

ロシアのプーチン大統領も参加した。「各国首脳は、今年の一帯一路に、21人しか集まらなかった。去年は35人だったのに」と、西側（the West＝G7＝ディープテイト）は、すぐに悪口を書く。だが、170カ国もの代表が集まったのだ。世界は、どんどん中国を中心に動き出している。

ということは、今の✕国連（The UN ザ・ユーエヌ。正しくは〇連合諸国（れんごうしょこく）。加盟国は193カ国）を、いいように動かしている英米の白人指導者たちに対して、果たして一体、どちらが本当の国際機関なのか、と問えるのである。世界中の民衆と大勢は、もう大戦争（ラージ・ウオー large war）を望んでいない。世界から戦争と地域紛争を無くしたい。そう本気で思っている。

一帯一路、発足10年で強まるヨーロッパとの関係

２０１３年、習近平政権が発足してから、わずか1年後に始まったのが「一帯一路」構想（The Belt and Road Initiative ＝ＢＲＩ）である。それから10年後の10月17、18日、北京で「第３回国際協力サミットフォーラム」が開かれた。そこには１７０カ国の首脳が集まったのである。だが、Ｇ７の一国である、先進国気取りの日本の報道のヒドさは相変わらずだ。

まず、ほとんど報道しないと言う態度だ。それから、この会議に対して悪態をつく。そして、今や世界の少数勢力に転落した、自分たちＧ７先進国の惨めさ、哀れさを自覚したくない。このすっかり脅え、歪んだ精神が露わになった。だが、多くの日本人はまだ、このことに気づいていない。日本人への洗脳が続いている。。

一体、このあと、この連中（日本の支配勢力とメディア）は、どうするつもりなのか。いつまでも、ずっと日本国民を騙したまま、自分たちのひねくれ根性の、ウソつき体質で、

西側メディアの報道とはうらはらに、一帯一路（ワンベルトワンロード）の経済規模は大きく拡大し続けている

対「一帯一路」沿線国 貿易額

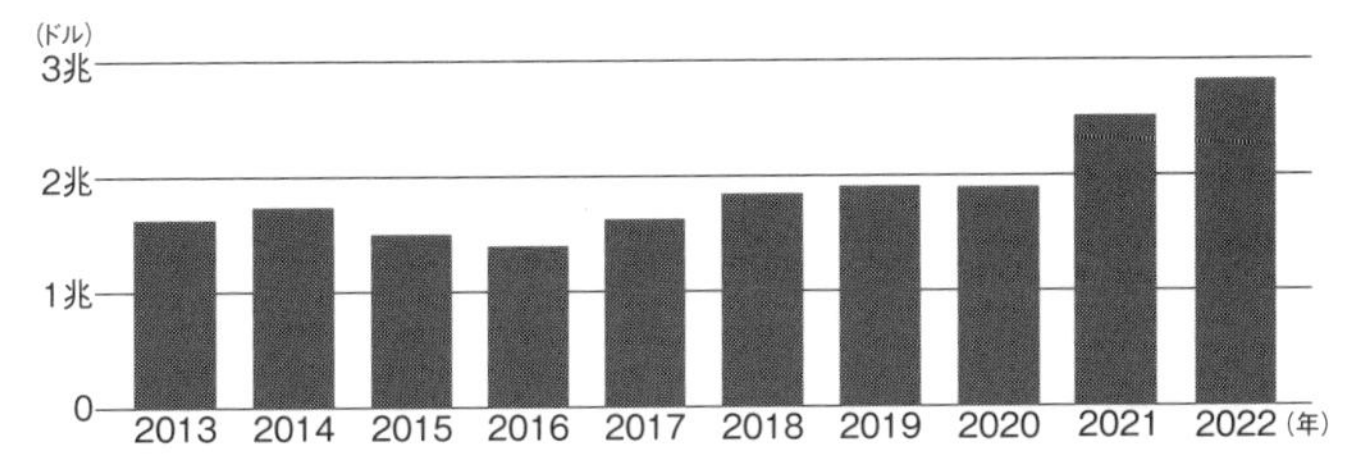

出所：中国税関総署

去年2022年、中国の一帯一路での貿易額は、前年比12.5%増の2兆8000億ドル（420兆円）で、加盟国（152カ国）の貿易額全体の45.4%を占めている。（JETRO　2023年10月16日）

ウソの上塗り報道を続けて、真実を覆い隠す気か。本当に、大きな世界の現実を見ることのできない、腐り果てたやつらが日本のメディアだ。

以下に紹介する時事通信の書き方はヒドい。これでニューズ報道だと言って、通用するのだろうか。書き手の記者たちは本当に、ここまで腐れ果てている。会議の全体を、淡々と客観報道するだけの冷静な態度すら取れない。ここまで頭がイカれてしまっているのかと、私はひとりで呆れかえる。

「退潮隠せぬ一帯一路　プーチン氏と同席嫌う各国円卓会議見送り・中国」

2023年10月18日まで開かれた中国主導による巨大経済圏構想「一帯一路」国際協力サミットフォーラムは、構想が退潮傾向にあることを強く印象付けた。

中国政府は、多くの国が一帯一路に参加していることを誇ってきた。しかし、今回は首脳級の参加者が減り、首脳らが一堂に会する円卓会議も催されなかった。構想発表から10年の節目で開かれたにもかかわらず、習近平国家主席が目指した「大国外交」

の演出は不発に終わった感が否めない。

「ウィンウィンの精神こそ一帯一路の源泉だ」18日の基調演説で習氏はこう語り、参加国との連帯を強調した。中国は自身が強い発言力を持つ一帯一路や新興5カ国(BRICS)、上海協力機構(SCO)といった枠組みを重視する。

とりわけ、米国との対立をにらみ、一帯一路フォーラムでは、ロシアのプーチン大統領の出席を重視してきた。2017年に初めて開催された時から、習氏はプーチン氏を「最重要ゲスト」として厚遇。開幕式では習氏に続いてプーチン氏が演説を行い、両氏が各国首脳を率いるような形で円卓会議の議場に入ることがお決まりの行事のようになっていた。

だが、今回は雰囲気が大きく変化した。ウクライナ侵攻を続けるプーチン氏と同席することに二の足を踏む首脳がいたとみられ、円卓会議の開催は見送られた。

出席者の顔触れにも変化があった。先進7カ国(G7)唯一の参加国で、離脱を検討しているイタリアは、代表団の派遣すら報じられていない。欧州の首脳級で参加したのは、ロシアに融和的なハンガリーのオルバン首相ら少数だ。

首脳級のフォーラム参加者は、2017年は29カ国、2回目の2019年は約40カ国だった。しかし、中国政府は18日時点で、首脳の参加国の内訳を公表していない。
中国経済の失速により、一帯一路に参加する最大のメリットだった巨額の投融資の見通しは不透明になっている。米中対立の激化と中ロの接近も、関係国が一帯一路への関与を見直す要因になっているとみられる。

（時事通信　2023年10月19日）

こんなバカな主観評論の記事なんか吹き飛ばす感じで、当の習近平は冷静だ。「債務の罠」Debt Trap、即ち中国が貧困国を「借金漬けにする」という批判が西側のディープステイトのマスメディアから、バカの一つ覚えで繰り返されている。
100年間にわたって貧困国（発展途上国）を借金漬けにして来たのは、欧米白人のディープステイト（超財界人たちの組織）だ。私が中国本シリーズでずっと紹介し続けてきたが、一帯一路の一環として中国が日本に競り勝ち、建設を支援してきた東南アジア初となるインドネシアの高速鉄道が、10月2日についに開業した。

習近平はプーチンに、最後に「タワーリシチ(同志)よ、健康に気をつけて」と言った。10月の一帯一路会議(One Belt, One Road Initiative)には170カ国の代表が集まった。中露の勝利である

2023年10月17日、北京で開かれた「一帯一路サミット」で親しく言葉を交わす習近平とプーチン。日本の報道では「プーチンに成果なし」と悪口が報じられたが、中国とロシアを中心とする“ユーラシア同盟”は、今後もますます強固になる。アメリカの世界覇権（ワールド・ヘジェモニー）を打ち倒すまで、世界中の貧乏大国（新興国）の団結の動きは止まらない。

「インドネシア高速鉄道が開業「一帯一路」の一環」

インドネシアで10月2日、中国が建設を支援した高速鉄道が開業した。東南アジアで初の高速鉄道だという。ジョコ・ウィドド大統領は開業式で、「われわれの近代化の象徴」とたたえた。

高速鉄道「ウーシュ」Whoosh の最高速度は時速350キロ、首都ジャカルタとバンドンの約140キロを結ぶ。従来は列車で約3時間かかったが、45分で移動できるようになる。座席数は600席。ジョコ氏は開業式で、「他の交通機関との接続もスムーズで、公共交通機関の近代化の象徴だ」と誇った。東南アジア初の高速鉄道だ。「ウーシュ」という名はインドネシア語の「時間短縮、最適な運転、信頼できるシステム」の頭文字からとったと述べた。

プロジェクトは、中国主導の巨大経済圏構想「一帯一路（Belt and Road)」の一環。インドネシアと中国の企業連合が建設した。

当初は2019年の開業を予定し、建設費用は50億ドル（約7500億円）を下回るとされていた。しかし、建設上の問題や新型コロナウイルス流行の影響で開業が遅

中国の一帯一路の支援で完成したインドネシアの高速鉄道Whoosh。インドネシア（親日本国でもある）は、すでに地域大国である

2023年10月2日、インドネシアのバンドン—ジャカルタ間（140キロ）を結ぶ高速鉄道（高鉄）が開通した。最高時速350キロで、これまで3時間かかったのを、約40分に短縮した。インドネシア国民は大喜びだ。中国が支援する高鉄（日本の新幹線の技術が40年前に中国に移転した）が、さらにスマトラ島からジャワ島まで（2800キロ）を貫徹する計画である。日本の天皇夫妻も、2023年6月17〜23日まで訪問した。これはまさしくアジアの団結である。

れたほか、費用も大幅に膨れ上がった。

（ＡＦＰ　２０２３年10月3日）

アジア以外でもアフリカ、東欧の高鉄（高速鉄道）も計画されている。中国の力で世界のインフラが整備され続けている。Ｇ７以外の国々は、中国のカネと技術を心から欲しがっている。さらには、中国は自信をもって新たに「これからは質重視」という新たな路線を打ち出した。

「一帯一路、質重視で懸念払拭図る
中国主席、10年の「成果」強調」

中国の習近平国家主席は10月18日、北京で開催中の巨大経済圏構想「一帯一路」国際協力サミットフォーラムで基調演説を行い、「構想は10年間で実りある成果を達成した」と主張した。これまでのような大規模インフラ事業ではなく、「質重視」で新興・途上国を支援する路線を強調し、「債務のわな」に対する懸念払拭を図った。フォーラムに出席したグテーレス国連事務総長は、債務に苦しむ途上国の現状にも言及し、「適切な融資の仕組みを構築する必要がある」と訴えた。

習氏は、「一帯一路はユーラシアからアフリカ、中南米に及び、150以上の国と30以上の国際機関が協力文書に署名した」と指摘。民主政府を標榜（ひょうぼう）する西側の価値観と一線を画して、習政権が進める「中国式現代化による強国建設」に言及した上で、「発展途上国と共に現代化を実現したい」と語った。

具体的な事業としては、物流網整備やデジタル、再生可能エネルギー分野で協力を加速させる方針を示した。一方で、対立する米国を念頭に、「われわれは集団的政治対立に関与せず、一方的制裁、デカップリング（分離）に反対する」とも語った。

習氏に続き、ロシアのプーチン大統領が演説し、一帯一路の成功を称賛した。習、プーチン両氏はいずれも、ロシアによるウクライナ侵攻や、パレスチナ自治区ガザのイスラム組織ハマスとイスラエルの衝突といった国際問題には触れなかった。

（時事通信　2023年10月18日）

既に載せた2つの時事通信の記事だけにして、奇妙なほどに日本のすべてのテレビ、新聞が黙っている。「一帯一路会議(フォーラム)については報道しない。無視すること」という各社の秘密協定が結ばれていることがはっきりした。せいぜい、日本から出席した鳩山由紀夫(ゆきお)元首相をバカにする、次に載せる記事を発信したくらいが関の山だ。

私は、日本の偏向報道が全てのメディアの外信部(がいしんぶ)の一斉の横並びで行われていることを危惧する。日本国民を世界情報から隔離して、情報弱者(じゃくしゃ)にして、ツンボ桟敷(さじき)（劇場で役者の声がよく聞こえない席のこと）に置かれることを恐れる。

「中国「一帯一路」国際会議に鳩山元総理が出席
「日本からの出席者少なくて残念」」

中国の巨大経済圏構想「一帯一路」の国際会議に、鳩山由紀夫元総理が出席し、「日本からの出席者が少ないのは残念だ」と述べた。中国の北京で17日から2日にわたって開かれた「一帯一路」の国際会議には、ロシアのプーチン大統領のほか、140カ国あまりからおよそ4000人が参加した。松野官房長官はこれに先立ち「日本政府として出席は予定していない」と表明した。鳩山由紀夫元総理は、「参加されてい

“2重スパイマスター”だった垂秀夫中国大使が辞任。アメリカ寄り(に見せかけた)新大使がインドネシア大使から横滑りした。日本の新聞どもは分かっていない

「中国大使に金杉氏起用へ　7年ぶり「非専門家」に」

日本政府が次期駐中国大使に金杉憲治駐インドネシア大使（右）を起用する方向で最終調整していることが10月21日、分かった。複数の日中外交筋が明らかにした。約7年ぶりに中国語研修組「チャイナスクール」出身ではない大使となる。日中関係の停滞が長期化する中、「非専門家」を最前線へ送り込み、局面打開につなげる狙いがある。（東京新聞　2023年10月22日）

かがでしたか？」という質問に対し「日本から少なかったですよね。日本がもっと参加するべきですよね。非常に残念ですね」と答えた。

（TBS　2023年10月18日）

イタリアが一帯一路から抜けることばかり報道された。イタリアが抜けたところでヨーロッパ全体と中国の関係が変わることはない。ヨーロッパはもはや中国なしでは生きていけない。

その上、EU諸国はアメリカとの関係に嫌気がさしている。このことはウクライナ戦争にこれ以上付き合わされることに、ドイツ、フランスでさえすっかり嫌気がさし、うんざりしていることによく表れている。記事を紹介する。

「仏大統領も「中国排除デカップリングに反対」…米国の「対中戦略」に亀裂か」

中国の習近平国家主席とフランスのエマニュエル・マクロン大統領、欧州委員会のウルズラ・フォン・デア・ライエン委員長は、特定国家を産業サプライ・チェーンから排除する、いわゆる「デカップリング」（分離）に反対することで意見が一致した。

２０２３年４月７日に、中国外務省が発表した資料によれば、習主席は、マクロン大統領との４月６日の首脳会談後に参加した「中国‐フランス企業委員会第５回会議」の閉会式で、「ゼロサムゲームに勝者はいない。デカップリングとネットワークの断絶は中国の発展過程を邪魔することはできない」と述べた。

そして「中国は欧州とのマクロ政策調整を強化するとともに、経済・貿易および科学技術の交流の政治化および武器化に反対する」「産業網とサプライチェーンの安全と安定を共同で守り、協力に有利な環境を作っていきたい」と語った。

マクロン大統領は「フランスは中国と尊重し合い、真剣に対話し、違いを受け入れつつ開放および革新を奨励したい」と述べた。

フォン・デア・ライエン委員長は４月６日、マクロン大統領、習主席と北京で３者会議を行った。

中国官営の新華社通信によると、この席でフォン・デア・ライエン委員長は、「中国とのデカップリングは欧州連合（ＥＵ）の利益でも戦略的選択肢でもない」と語った。

フォン・デア・ライエン委員長は、先月末、ベルギーのブリュッセルで行われたシンクタンクのカンファレンスでも、「中国とのデカップリングは実行可能ではない。欧州の利益にも符合しない」「中国とのデカップリングではなく、リスクの軽減に集中すべきだ」と語った。

（ハンギョレ新聞　2023年4月8日）

このようにヨーロッパでも、英、米と距離を置くようになった。経済（企業活動と貿易）で、どうしても中国と付き合わないと自分の国が生きていけないことを分かってきた。ウクライナ戦争では、英と米の恫喝（どうかつ）が怖いので、「分かりましたよ。ウチの中古（ちゅうこ）の戦車と大砲をもっと供出（きょうしゅつ）しますよ」という態度である。ウクライナの負けがはっきりしてきた。そのことをさらに示す記事を載せる。

「ゼレンスキー大統領
自国への国際社会の関心低下に危機感示す」

ウクライナのゼレンスキー大統領は11月4日、首都キーウを訪問したEU＝ヨーロッパ連合のフォンデアライエン委員長と会談し、ともに記者会見を行った。

この中でゼレンスキー大統領は、イスラエル・パレスチナ情勢に関連し「ウクライナへの関心が低下していると気付いている。これは事実だ」と述べ、ウクライナに対する国際社会の関心が低下しているとして危機感を示しました。

そのうえで「これがロシアの目標の一つだ。われわれは、過去にもウクライナにほとんど関心が払われなかった非常に困難な時期を乗り越えてきたので、今回も乗り越えられると確信している」と述べ、国際社会の支援を受けて難局を打開したいと強調しました。

一方、ゼレンスキー大統領は、今回フォンデアライエン委員長をキーウの鉄道駅でみずから出迎えました。こうした対応について、在キーウの外交筋はＮＨＫの取材に対し「これまでにない異例の対応だ。最大の支援国アメリカの大統領が訪問した時でさえ、ここまでしなかった」と指摘し、中東情勢を受けたウクライナへの関心低下に対するゼレンスキー大統領の危機感の表れだという見方を示しました。

（ＮＨＫ　2023年11月5日）

あとは、ウクライナの（初めから英米に操られ）大統領のゼレンスキーが、いつ失脚して、現状での停戦（シース・ファイア cease-fire）の協議が始まるか、である。

グローバルサウスの結集

アフリカ地域（全てで54カ国）においても、中国とロシアの力がどんどん強くなっている。ロシアがサヘル Sahel と呼ばれるサハラ砂漠の南側一帯の国々に、それぞれの国の政府の要請で、ロシアの民間軍事会社（PMC 傭兵部隊。マーシナリー）のワグネル Wagner が数百人ずつ入っている。これが強い。もうロシアのワグネルとぶつかりたくない。戦っても勝てないとわかった。

9月までにニジェール、ブルキナファソ、リマとチャド、ガボンからフランスの外人部隊は撤退した。ナイジェリアだけがまだ西側に付いて抵抗している。地域大国のナイジェリアが政府転覆して、親ロシア、中国に転じたら、アフリカ全体が英米から離れる動きになる。

フランス外人部隊に続いて、アメリカ軍の特殊部隊（スペシャル・フォーシズ）も撤退した。

BRICS会議が発行する新通貨（ニューカレンシー）は2024年10月に持ち越された。米ドルの世界覇権は、ここで終わるだろう

2023年8月22日、南アフリカのヨハネスブルグで開かれたBRICS会議（サミット）に集まった5カ国の首脳たち。プーチンは、オンラインで参加した。今回、71カ国の政府代表が、「私の国もBRICSに入れてくれ」と集まった。このうちの６つの新興の地域大国（リージョナル・パウア）を、新たに加入させた。私が呼ぶ“貧乏大国同盟”が、これからものすごい勢いで成長する。そして主要先進国（G７（ジーセブン）体制、ディープステイト）を圧倒する。

これらの国々は、全部中国とロシア寄りとなる。中国は技術援助と経済援助をする。ロシアが軍人派遣で大統領たちを守る。その代わり、、ロシアに傭兵代（マーシナリー）として各国の天然資源から利益を払うという段階に入った。

やはり、今年2023年8月の南アフリカでのBRICS（ブリックス）会議の意義が大きかった。記事を紹介する。

「BRICS、サウジなど6カ国が来年加盟
歴史的拡大と習中国主席」

ブラジル、ロシア、インド、中国、南アフリカの新興5カ国（BRICS）首脳会議は、6カ国の加盟を決定した。議長国南アフリカのラマポーザ大統領が8月24日、発表した。

大統領によると、「アルゼンチン、エジプト、イラン、エチオピア、サウジアラビア、アラブ首長国連邦（UAE）の6カ国が2024年1月1日にBRICSに加わる」。

南ア政府筋によると、40カ国以上がBRICS加盟に関心を示しており、22カ国が正式に加盟を希望した。西側先進国中心の国際機関のリバランスを図るというＢＲＩＣＳの姿勢への共鳴が背景にある。

ラマポーザ氏は、「ＢＲＩＣＳは公平な世界、公正な世界、包摂的で繁栄する世界の構築に向けた取り組みで新たな門出を迎えた」と表明。「われわれは拡大プロセスの第一段階で合意した。今後さらなる段階が続く」と述べた。

ブラジルのルラ・ダ・シルバ大統領は、「グローバル化は約束を果たせなかった。今こそ我々はとし、今こそ途上国（引用者注。まだまだ貧乏な小さな国々のこと）との協力を再活性化すべきだと訴えた。「（これからの世界には）核戦争のリスクがある」とも指摘。ウクライナ戦争を巡るロシアと西側諸国の緊張拡大に言及したとみられる。

中国の習近平国家主席は、「今回の決定はＢＲＩＣＳの協力メカニズムに新たな活力を注入する歴史的な拡大だ。加盟国の拡大は、他の途上国と団結し協力するという決意を反映する。国際社会の期待に応えるもので、新興市場と発展途上国の共通の利益に資する。（ＢＲＩＣＳ諸国は）いずれも大きな影響力を持つ国であり、世界の平和と発展に重要な責任を担っている」と述べた。

習主席は別の演説で、「中国は昔も今も、これからも発展途上国の一員だ。中国が

２０２１年に開始した経済・社会開発促進プログラムの世界開発イニシアティブ（ＧＤＩ）に向けて、中国の金融機関が、１００億ドル（１・５兆円）の特別基金を間もなく立ち上げる」と明らかにした。

インドのモディ首相は、「ＢＲＩＣＳの拡大は、20世紀に設立され、時代遅れとなった他の国際機関の模範となるはずだ。ＢＲＩＣＳの拡大と現代化は、世界の全ての機関が時代の変化に合わせて形を変えていくために必要である」と述べた。

（ロイター　２０２３年８月24日）

この南アでのＢＲＩＣＳ会議には合計で71カ国の政府代表が集まった。そして、次々と「私の国も入れてくれ」と加入を申請した。今回はＢＲＩＣＳ５大国に続く６カ国（アルゼンチン、エジプト、エチオピア、イラン、サウジアラビア、アラブ首長国連邦〈ＵＡＥ〉）が加わった。11カ国になった。

進むアメリカの国家分裂

この世界の大きな動きに対して1カ国、何か変な国が残っている。台湾だ。だが、台湾は国ではない。１９７１年10月25日に、**×**国連（正しくは**○**諸国連合（しょこくれんごう） The（ザ） UN（ユーエヌ））から追放決議（エクスコミュニケイション）され、台湾は中国の一部とされた。

南米諸国も団結しつつある。中国がドカーンと**ニカラグア運河**さえ通せば、全ての中南米諸国に巨大な貿易ルートができる。カリブ海からぐるっと回って、カリブ海諸国をベネズエラからブラジル、アルゼンチンまで、中国からの経済支援とインフラ作りの巨大物流（ぶつりゅう）を作れる。もう北アメリカに頼る必要はない。

だからアメリカは、この世界変動の影響を受けて内部から、国家が内部分裂して３つに分かれるだろう。中央（セントラル）のテキサスを中心にした、農業と天然資源があり、エネルギー（石油と天然ガス）も水ガメ（地下のオガララ大（だい）水源）も有るから、テキサス州を中心に20州くらいが集まって、かつての南北戦争（ザ・シビル・ウォー）（１８６４～70）のときの「南部連邦（なんぶれんぽう）」The（ザ） Confideration（コンフィデレイション） のような国になる。

そして中国が、このアメリカ中央国（セントラル）（アメリカ新共和国（しんリパブリック）。ドナルド・トランプが大統領だろう）と巨大物流（貿易）を実現して団結する。今のパナマ運河だけでは狭小だ。最近のパナマ運河の３倍の拡張工事も費用は中国が出したのだ。それなのに、アメリカが中国の船舶の通行を邪魔する。この妨害が、ニカラグア運河の開通で消える。

こうなると、ディープステートが支配する白人優越（ゆうえつ）主義（White supremacy ホワイト・シュープレマシー）のバカ白人たちは、ワシントンとニューヨークとシカゴを中心とするアメリカ東部国（イースタン）となる。もうひとつは、太平洋側のカリフォルニア州に同性愛者たちＬ（エル）ＧＢＴＱ（ジービーティーキュー）がみんな集まって、奇妙なアメリカ西部国（ウエスターン）になる。

ここに台湾とか香港から、死ぬほど中国共産党が嫌だという中国人たちが５００万人くらい移住（亡命）してきて、ニューチャイナタウンの居住区を作るだろう。そこに、日本からも１００万人くらい反共右翼（統一教会）の残党（リメインズ）たちが加わればいい。私の頭の中では、これからの世界のイメージは、このようにもうでき上がっている。

米大統領選挙は、満足に実施されず、アメリカは国家分裂していくだろう

トランプ（右、77歳）が大統領に再選されるという予測が大きくなっている。民主党を離れて独立候補となったロバート・ケネディ・ジュニア（左、69歳）がトランプの票を奪う、あるいは副大統領候補としてトランプと組むという報道もある。しかし、アメリカは大統領選挙後に、テキサス中心の南部連合と、東海岸、西海岸に分裂する。

第4章 台湾は静かに中国の一部となっていく

ムーニーの勢力にヘイコラする日本

去年２０２２年２月24日から、ディープステイトはウクライナ戦争を始めさせた。ロシアのプーチン大統領を罠に嵌めて、まんまとウクライナにおびき出して、開戦させた。初めの2、3月でロシア軍の最精鋭のスペッツナズ（陸軍特殊部隊）と空軍空挺部隊（エアボーン）の合計で、最強の１万人ぐらいが死んだ。若い兵士たち10万人ぐらいも死んだ。ロシア戦車１０００台が撃破された。このあとロシア軍が5月から戦線を立て直して、東部（ドネツク、ルハンスク州）と南部の2州（ザポリージャ、ヘルソン州）を占領して長期戦の構えに出た。

この他にアメリカは、２０２０年1月からコロナ・ウイルスとワクチン攻撃も仕掛けたのだが、これは中国の武漢で封じ込められた（Ｐ１７３写真）。

それで、今年の10月7日からは中東で、自分たちが作って育てたハマスに突撃させて、何とかアメリカ国内の景気浮揚を狙った。しかし、これもどうもうまくゆかない。

これと同時並行で、東アジア（極東）で反中国の動きとして、まだまだ台湾有事を起

この者たちが、まだまだ台湾から中国に火をつけようとしている

2022年7月8日に銃撃死亡した安倍晋三元首相の妻、昭恵が今年7月17日に台湾を訪れた。台湾総統選でトップの支持率を誇る頼清徳（らいせいとく、64歳、左）と話した。昭恵が安倍晋三亡きあとの、日本の統一教会勢力の顔である。同行したのは、山谷えり子、杉田水脈、北村経夫ら公然たるムーニー国会議員たちだ。まだ懲りずに“台湾有事”を画策する。

こそうとしている。

世界中で嫌われ八方塞がりで、欧米ディープステイトが、最後に狙うのが、台湾での有事である。台湾有事を主導しているのは、トニー・ブリンケン国務長官と、ビクトリア・ヌーランド国務次官である（P167）。記事を載せる。

「来年2月にウクライナ復興会議　岸田首相、ゼレンスキー氏と電話会談」

岸田文雄首相は11月8日、ウクライナのゼレンスキー大統領と約30分間電話会談した。日本が官民一体で復旧・復興を支援する「日ウクライナ経済復興推進会議」を来年2月19日に東京で開催することで合意。

首相は「ウクライナと共にあるという日本の立場は決して揺るがない」と伝え、大統領は謝意を示した。両首脳の電話会談は8月末以来。

首相は、8日閉幕した先進7カ国（G7）外相会合に触れ、厳しい対ロシア制裁と強力なウクライナ支援の継続が確認されたと説明。越冬支援などエネルギー分野の協

台湾有事(ゆうじ)の火をつけるために、来日した凶悪女、ヴィクトリア・ヌーランド。米国務次官(アンダー・セクレタリー)。ワシントンの統一(ムーニー)教会の大幹部

11月6～9日、東京で行われたG7外相会議に同行して、こっそり来日したヴィクトリア・ヌーランド米国務次官（アンダー・セクレタリー）。日米ワーキングディナーに出席し、隣りの席のブリンケン国務長官（ステイト・セクレタリー）に睨(にら)みをきかせた。この後、すかさず岸田首相が、日本でウクライナ復興会議を開催することを表明した。まだアメリカ政界でMoonies（ムーニー、統一教会）が力を持っている。1970年代から帝国の首都、ワシントンの政、財、官界までも汚しまくった。恐るべき力である。

力を続ける考えも示した。

（時事通信　2023年11月8日）

さらに、長年のジャパンハンドラー（日本操り班）の一人であるカート・キャンベルが生き残って、国務省のナンバーツーの国務副長官となった。

「米政権、インド太平洋重視を継続＝国務副長官にキャンベル氏指名―知日派、対中強硬」

バイデン米大統領は、11月1日、国務副長官（バイス・セクレタリー）に、国家安全保障会議（NSC）のキャンベル・インド太平洋調整官（66）を指名すると発表した。ホワイトハウスでアジア政策をけん引してきた高官を国務省ナンバー2に起用することで、対中国を引き続き重視する政権の姿勢を国内外に示す狙いがある。

副長官ポストは7月末に前任のシャーマン氏が退任して以降、ヌーランド国務次官が代行を務め、空席が続く。

キャンベル氏は、オバマ政権下の2009年に国務次官補に就任し、米戦略の「旋

インド太平洋調整官（モデレイター）から国務省No.2へと出世した、ジャパン・ハンドラー(日本操り班)のカート・キャンベル

7月28日にウェンディ・シャーマンが辞任して以来、ヌーランドが代行を兼務していた国務副（ふく）長官にカート・キャンベルが就任した。写真は2013年7月、日本記者クラブで会見するカート・キャンベル（左）と、当時、米戦略国際問題研究所（CSIS（シーエスアイエス））日本部長だったマイケル・グリーン（右）。グリーンは安倍暗殺直前に、シドニー大学に異動して逃げた。二度と日本に来ない。

回」と称しアジア重視政策を推進。21年には「『関与』と表現された米国の対中政策は終わった」と発言したこともあり、その主張から「対中強硬派」（米メディア）と目されている。

また、クリントン政権時に国防副次官補として、米軍普天間飛行場（沖縄県宜野湾市）の移設問題に携わった経緯から「知日派」としても知られている。

（時事通信　2023年11月2日）

このように日本政府は、まだまだワシントンの政治を握っているムーニー（統一教会）の勢力に、屈服して、ヘイコラして生きているというのが現状である。

何よりも台湾人は中国人である

2024年1月13日に、台湾総統（大統領）選挙が行われる。私が嫌いな鼻ペチャ姉ちゃんの蔡英文は、2期8年で去る。自分の民進党（反中国）の党首も頼清徳に譲った。では、次の台湾総統に誰がなるか。

私は3年前の2020年初に出版した『全体主義（トータリタリアニズム）の中国がアメリカを打ち倒す』（ビジネス社）の第4章で、前回の台湾総統選について、「台湾を中国に渡さない」という固い決意で、アメリカが何をやったのかを次のよう説明した。

去年（2019年）の早いうちから、国民党の候補として韓国瑜（かんこくゆ）を有力な競争相手としてアメリカが作り上げた。この韓国瑜という男は、高雄市長になったばかりであった。降って湧いたように、「民衆に大人気だ」というメディア宣伝が行なわれた。（中略）

鴻海（ホンハイ）精密工業の会長の郭台銘（テリー・ゴウ）が、2019年4月に総裁選に立候補を表明した。そして、「自分こそは台湾の指導者にふさわしい」として、勢いよく選挙運動を始めた。ところが、テリー・ゴウは、7月15日に国民党（グオミンタン）の統一候補を決める予備選挙であっけなく敗れた。（中略）

彼は、国民党を背後から操るアメリカのチャイナ・ロビー（注・台湾独立派を支持する米政界の有力な勢力）にまんまと嵌（は）められた。おそらくテリー・ゴウは、習近平とつながっている。（中略）

テリー・ゴウは、その前にトランプ大統領をだまくらかす戦術に出た。テリー・ゴウは、トランプ大統領から、「ウィスコンシン州に200億ドルでホンハイの液晶画面の工場を建ててくれ」と頼まれて、それに応じた。（中略）

テリー・ゴウは、トランプとの騙し合いの腹芸を続けながらも、「台湾人で唯一直接ホワイトハウスに行ける人間」として、台湾の選挙で自分を売った。同時に、自分は生粋（きっすい）の国民党を支持する家の出である、ということも強調した。（中略）

重要なことは、中国共産党（北京政府）は、台湾の国民党（グオミンダン）を根っからは信用していないことだ。これが正しかった。なぜなら、蔣介石（しょうかいせき）（チャン・チエシー）が率いた国民党は、共産党の天敵（ナチュラル・エネミー）である。国共内戦（ないせん）を戦った相手だからだ。（中略）

最初からテリー・ゴウを落とすために、アメリカのチャイナ・ロビー勢力が韓国瑜という、台湾陸軍士官学校出の軍人を、人気者として売り込んだのだ。（中略）

ここまでは、アメリカのほうが一枚上手だ、ということになる。トランプもこの演戯に加わっている。しかし中国は、この後、反撃に出るだろう。（中略）

（『全体主義の中国がアメリカを打ち倒す』ビジネス社刊、2020年、P142〜146）

2019年10月の中国の武漢のワールドミリタリーゲームズに参加したアメリカ軍が、生鮮市場でコロナウイルスをバラまいた。

2019年10月、武漢でワールドミリタリーゲームズ（世界軍人オリンピック）が開かれた。武漢が、現在まで続くコロナウイルス攻撃の始まりの場所である。2019年末から発症者が出た。2020年中に武漢で6000人が死亡した。

そして今回、民進党の党首になった頼清徳が蔡英文を引き継ぐ。そして英と米のディープステイト（超財界人たちと軍需産業）の子分の座も引き継いだ。２０２４年１月13日の台湾総統（大統領）選挙に出馬しているこの頼清徳も、日本の反共右翼の安倍晋三系とつながりが深い。

「頼副総統、安倍昭恵さんに再訪を呼びかけ「台湾をもう一つの故郷に」」

頼清徳副総統は、２０２３年７月19日、北部・新北市内のホテルで開かれた安倍晋三元首相の妻、昭恵さんの歓迎夕食会・音楽会に出席した。

昭恵さんに対し「台湾の安倍氏に対する感謝の思いは永遠に続いていく」と語りかけ、「安倍氏は台湾を身内として扱ってくれた。われわれもあなたを身内のように思っている」と話した。

昭恵さんは「多くの皆さんから歓迎を受け、主人のことを語ってもらい、本当にありがたい気持ちでいっぱい」だと謝意を表明した。

（フォーカス台湾　２０２３年７月20日）

今のところ、頼の支持率は台湾国内でトップだ。だが、台湾国民もバカではない。どんどん力を無くしているアメリカに、このままいい様に操られている訳にはゆかない、と気づいている。どこかで頼清徳の政権を瓦解させるだろう。

台湾軍幹部の９割は退役後、中国に渡る

つまり、台湾人は中国人なのである。

前述したように、「台湾有事になって、中国が台湾に攻めてくる。日本と韓国は助けに行かなくてはいけない」みたいなことを、まだ言っている反共右翼のバカ丸出しの連中が日本にもたくさんいる。

その中心部は、やはり統一教会系のメディア人間たちである。名前もほとんどはっきりしている。台湾なら法輪功（ファールンゴン）の連中である。キリスト教徒を名乗る。中

国はそんなバカなことはしない。中国は「戦わずして勝つ」という戦略を必ず執る。中国語で「不戦而勝」と言う。中国に反発するだけでは国際政治にならないのだ。

そのことは、ほとんどの台湾人がよく分かっている。

今年の2月に、日経新聞に驚くべき記事が出た。この記事は注目するに値する記事だ。

「「それでも中国が好きだ」台湾軍に潜む死角　台湾、知られざる素顔」

「おかげで中国での商売が駄目になった。レストランは閉め、台湾に帰って出直しだ」台湾人の50代男性、鄭宗賢（仮名）は最近まで中国に脅されていた。2010年代、台湾軍で幹部を務めた鄭。退役後は「軍幹部OBのお決まりのルート」（軍関係者）に乗り、中国で商売を得た。台湾軍の情報を中国側に提供できるうちは商売は順調だった。

だが次第に行き詰まる。軍を離れて時間が経つと、中国に提供できる情報が減ったからだ。同じ台湾軍に入隊した息子に情報を頼った。しかし、息子は応じなかった。

「用無し」となった鄭に、中国は容赦しない。レストランは当局の嫌がらせで閉鎖に追い込まれた。だが鄭は「それでも中国が好きだ。恨みはない」と振り返る。

台湾統一を掲げる中国が実際に軍事侵攻したら――。向き合う台湾軍の事情は複雑だ。もともと台湾は中国がルーツ。１９４９年、国民党軍は共産党軍に敗れ、台湾に逃れた。中国大陸の奪還（引用者注。大陸反攻という）を誓ったが、夢に終わった。国民党軍は結局、台湾を守る「台湾軍」として衣替えを余儀なくされた。その屈辱が軍内に強く残る。「我々こそが中国だ、と（引用者注。何を今さらという感じで）、今なお台湾独立に反対する教育が軍内で盛んだ」（軍事専門家）

17万人を抱える台湾軍では、将校などの幹部も依然、中国人を親などに持つ中国ルーツの「外省人」が牛耳る長い旧習が続く。歴代国防部長（大臣）も、外省人がほぼ独占する。「そんな軍が、有事で中国と戦えるはずがない。軍幹部の9割ほどは退役後、中国に渡る。台湾軍の（中国側への）情報提供を見返りに金稼ぎし、腐敗が常態化している」（関係者）。鄭もそんな一人だった。

1月初旬。台湾高等検察署（高検）高雄（カオシュン）分署は「台湾軍の機密情報を中国側に漏らした」として、元上校（大佐）と現役将校の計４人を拘束した。２週間後には元立法委員（国会議員）の羅志明と海軍元少将が、台湾高雄地方検察署（地検）に取り調べを受けたことが判明。中国の統一工作などに便宜を図ったとされた。２０２１年には国防部ナンバー3の副部長（国防次官）の張哲平までが捜査対象となった。

「いまだに中国に協力するスパイが台湾軍に多いことが台湾最大の問題だ」。ある陸軍ＯＢはこう明かす。米国が長年、台湾への武器売却や支援に慎重だったのは、中国への（米国製の最新兵器の）情報流出を恐れたためだ。

「私は今日、台湾軍がいかに優れているかを台湾の人にも見せたく、ここに来ました。台湾のみなさん、安心ください」軍による中国への情報漏洩発覚が続いたさなかの1月13日。総統の蔡英文は、軍事基地がある北部・新竹を視察し、報道陣を前に軍を持ち上げた。

「新たな軍をつくろう」。7年前。蔡英文は就任早々、軍改革を訴えた。中国の圧力が強まるなかメスを入れなければ、軍がいずれ台湾のアキレス腱になると踏んだ。この1年間で30回近く軍の現場に足を運んだ。軍に寄り添う姿勢をアピールした。だが「軍は終始、中国に強硬な蔡の改革案に抵抗し続けた」（専門家）。蔡は軍を掌握できていない。

台湾の最前線、金門島（きんもんとう）はもうすぐ中国大陸と大橋で繋がる。台湾人は中国と戦争をする気はない

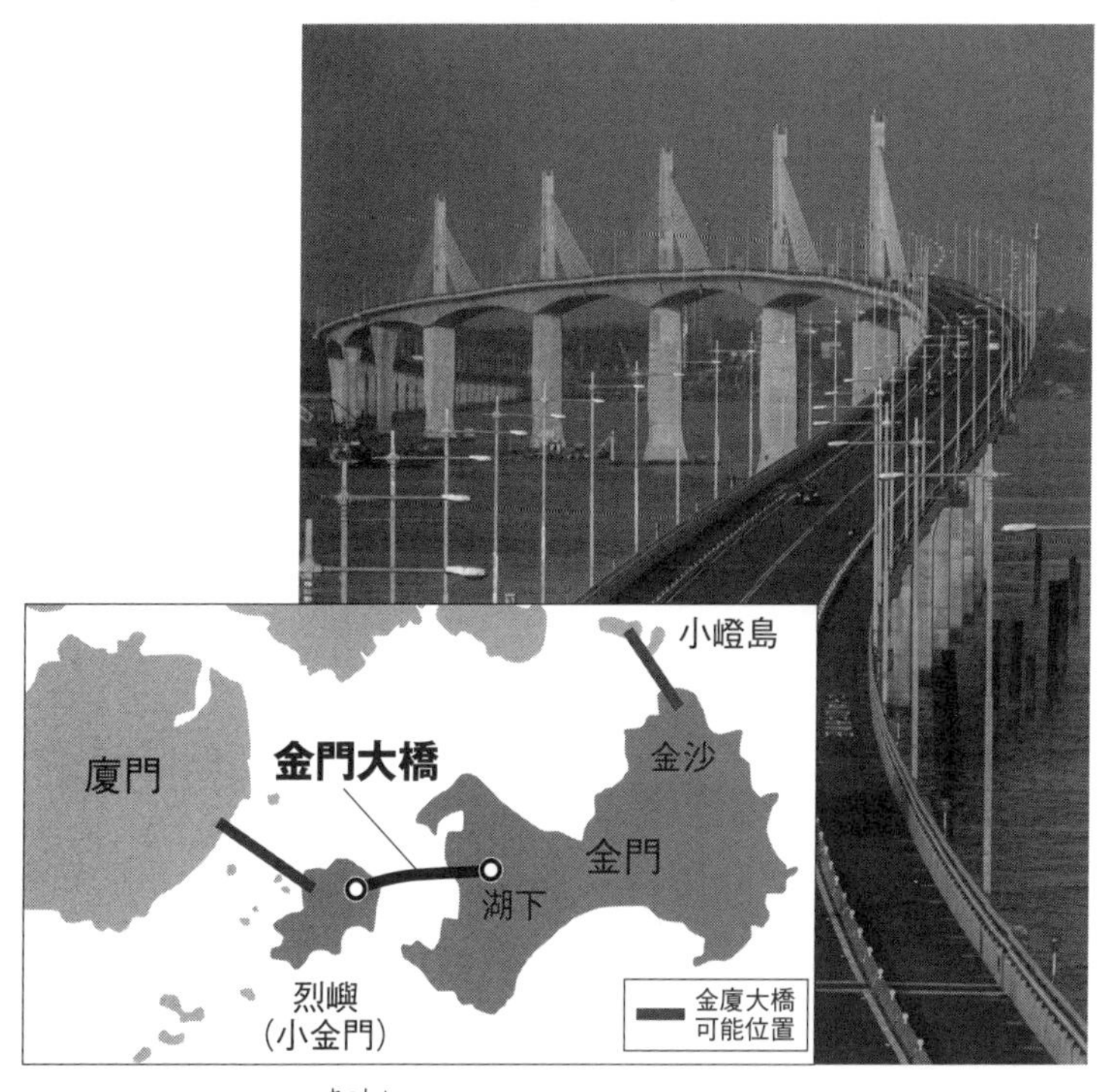

写真は金門と烈嶼（れっしょ）（小金門）を結ぶ金門大橋。金門島は台湾とは200キロも離れている。ところが廈門（アモイ）からは、たったの2キロしか離れていない。65年前の1958年8月23日から10月5日まで金門島に対し、中国の人民解放軍が大量の砲撃を行った。金門島が2つの橋で大陸と結ばれる日は近い。

「釣魚台（日本名・尖閣諸島）は台湾固有の領土だ」

1月下旬、台湾東部・宜蘭県蘇澳の漁港を訪れると、こんな標語が目に飛び込んだ。「釣魚台は台湾の領土で、政府の一貫した立場だ」と蔡総統も語る台湾。マグロの好漁場でもある尖閣まで蘇澳から13時間。「今でも200隻近い船が漁に向かう」と地元漁協の蘇澳区漁会総幹事、陳春生は明かす。

2008年、そんな台湾の漁船が尖閣近くで日本の海上保安庁の船と衝突、沈没した。抗議に出た別の台湾漁船は、尖閣の領海に侵入、当時の行政院長（首相）の劉兆玄は「（日本との）開戦も排除しない」と発言した。以来、尖閣問題では（奇妙なことに）「中台で連携を望む声が絶えない」（関係者）。

かつて台湾軍は国民党軍として中国で日本と戦った。有事を見据え今後、日台連携で中国対抗の絵を描いても「日本と距離を置くあの台湾軍が、いまさら日本と領土防衛で本当に協力できるのか」（軍事専門家）。多くの課題を残す台湾。緊張は日に日に高まっている。

（2023年2月28日　日本経済新聞）

この記事は非常に重要だ。日経新聞が、このような台湾問題について核心を突いた記事を載せた。台湾軍人のほとんどは、中国と戦う気はない。このことがはっきりと証明されている。

そして何と「台湾軍幹部の9割は、退役後、中国に渡る」だ。この日経の記事は決定的である。

これで決まった。台湾軍は中国と戦わないどころか、中国軍の一部である。台湾有事など無いのだ。空無（くうむ）なのだ。日経が、この2月末の記事を出した直後、日経にある勢力から批判が殺到した。「台湾軍は決して中国寄りではない」と抗議が出たのだ。それに対して日経は自分たちの非は認めず、次のような「お知らせ」を出した。

「記事中のコメントは、取材対象者の見解や意見を紹介したものであり、日本経済新聞社としての見解を示したものではありません。混乱を招いたことは遺憾です。公平性に配慮した報道に努めて参ります」

基地の島、金門島の知られざる現実

私が、この中国本シリーズで15年間ずっと予言してきたように、台湾はゆくゆくは中国の23番目の省になる。そうすると、台湾海峡どころかフィリピンのほうにつながっている第2列島線まで、つまり第1列島線の外側まで米軍の艦隊とか空母も近寄れなくなる（P71の地図を参照）。この列島線は、いわゆる石油輸送ルートのシーレーンでもある。そこに近寄れなくなるのが、もう目に見えている。

65年前の1958年10月、中国の人民解放軍が、厦門(アモイ)の目と鼻の先にある中華民国の金門島(きんもんとう)に侵攻するため砲撃を行った。ものすごい量の砲弾の雨嵐(あめあらし)だった。国民党軍は、それを地下壕で耐えた。それ以来、金門島は台湾の最前線の基地の島となった。

ところが、その金門島の住民たちの意識は、反(はん)中国の台湾ナショナリズムには全く向かっていない。台湾人(タイワニーズ)は当然のことながら、父祖(ふそ)の地である中国のことを無視しない。それに関する新聞記事を載せる。

「「永久非軍事化」声明も〝中国に一番近い島〟台湾・金門島で薄れていく危機感」

「金門島」は台湾有事の際、中国から真っ先に狙われるとも言われ、１９５８年以降、中国軍から50万発近い砲弾が撃ち込まれました。今も数千人の台湾軍の兵士が駐留しています。ただ、島にはこんな現実も。金門島の商店店主

「私たち（金門島の住民）は、中国との緊張なんて気にしてません。一般市民は商売が繁盛することが大事です」

金門県議会の董森堡議員は、島は中国にとって、もはや標的ではなくなりつつあると考えています。

「金門島は天然資源もなければ、香港のような金融や情報の中心でもありません」

「もしその時、中国に自由と民主の土台があるのなら、私は統一を受け入れるでしょう」

戦火を経験した「防衛の最前線」は今も揺れ続けています。

（ＴＢＳ　２０２３年４月７日）

こんな感じである。誰が仕掛けられた戦争なんかするか。

ラーム・エマニュエルという戦争の火付け役

このように、中国人も台湾人の多くも有事（戦争）など望んではいない。それでも、何とかディープステイトの意思を汲んで、アジアやウクライナなどで戦争を興そうとしているのが、米民主党（バイデン政権）と共和党の中のチャイナ・ロビー（China Lobby）と呼ばれる勢力だ。

チャイナ・ロビーは、ヘンリー・ルース（TIME誌を戦争報道で興した）が主導した。蔣介石の奥さまの宋美齢（ソン・メイリン）がアメリカ国内で、ラジオ放送で「日本軍の侵略と戦う中国民衆を救けてください」と訴えた。このとき以来の、共和党（リパブリカン）の中の、大きな思想派閥である。

今、とりわけ台湾で戦争を起こそうと躍起になっているのが、米駐日大使のラーム・エマニュエルである。X（旧ツイッター）などで、しきりに中国を挑発し、日本のバカなネ

ラーム・エマニュエルはアジアでの戦争(台湾有事)の火付け役として、日本に送り込まれている

ラーム・エマニュエル駐日米国大使 @USAmbJapan · 10月16日

As the BRI marks its ten-year anniversary, the legacy it leaves is a cautionary tale of lofty rhetoric and unwelcome results. China's BRI casts long shadows of debt and dependency. When the bill comes due, China leaves developing countries dangling in a sea of debt, with their...
さらに表示

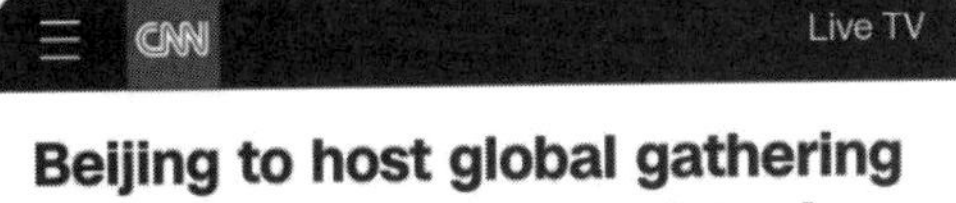

Beijing to host global gathering as Xi Jinping lays out China's vision

By Simone McCarthy, CNN
Updated 8:15 PM EDT, Sun October 15, 2023

習近平のことをX（旧ツイッター）で腐し続けるラーム・エマニュエル駐日大使。この男はオバマ政権の首席補佐官を1期務めたあと、2011年からシカゴ市長を8年やった。この時の都市再開発の金銭スキャンダルで、シカゴに帰ったら逮捕されるだろう。

トウヨたち（その正体は統一教会(ムーニー)）から熱狂的な支持を得ている。この者たちを、何とか片づけないといけない。記事を載せる。

「「中国挑発やめろ」報道は何だったのか　エマニュエル米駐日大使の「皮肉」絶好」

米国のラーム・エマニュエル駐日大使が、X（旧ツイッター）で対中批判を加速させている。２０２３年9月には「バイデン大統領の側近らが、「米中関係修復に向けた動きを損ないかねない」として、中国側を挑発する書き込みをやめるように求めた」と米メディアに報じられた（エマニュエル氏側は否定）。

だが、エマニュエル氏の書き込みでは、原発処理水の放出を受け、中国が日本産水産物の禁輸を続けていることを批判。この禁輸措置で中国の水産事業者もダメージを受けているとして「中国の経済管理、見ものである」などと皮肉った。

横田基地で行われた記念式典の写真を添えて、次のように書き込んだ。

「中国が日本に対して経済的威圧を行使するなら、米国はトモダチ作戦２・０で真っ向から対抗する。中国は欺瞞的に日本の水産物輸入を禁止する一方で、日本海域で全く同じ魚介類を獲っているのだ。抜群に美味しいのだから彼らを責めることはできないが、その偽善は非難されてしかるべきだ。米国はこの水産物をもっとふさわしい市場、つまり米軍兵士とその家族に送る。これはトモダチ作戦2・0だ」

（J-CASTニュース　2023年11月1日）

このように、バイデン政権（ホワイトハウス）内部から批判が出るほど、エマニュエル大使の暴走は危険度を増している。ラームは、東京で威張り腐って、米大使館から各省庁に、徒歩（とほ）でひとり（通訳だけ）で乗り込んで、怒鳴りまくるので、日本官僚たちに極（きわ）めて評判が悪い。前記の記事のとおりである。

ラーム（1959年生、63歳）は、オバマ政権で1期だけ首席補佐官をやったあと、2011年から8年間、シカゴ市長をやった。シカゴ市長は、このあとレズビアン女のロリ・ライトフットがなったが評判が悪くて選挙で負けて、黒人のブランドン・ジョンソンが、この5月から市長だ。

ラームの市長時代の都市開発の金銭スキャンダルが出て、ラームがシカゴに帰ったら逮捕されるだろうと言われている。新しい黒人市長が、そのために動いている。ラームは嫌われ者である。大都市シカゴを含むイリノイ州の州知事のジェイ・ロバート・プリツカー（ケチで有名。だから偉い。マリオット・ホテルグループの一族）からも見放されている。

だから、ラームのこの弱点を突いて、日本の官僚の皆さん、頑張ってください。私、副島隆彦からのインテル・ドロップ（情報投下）です。

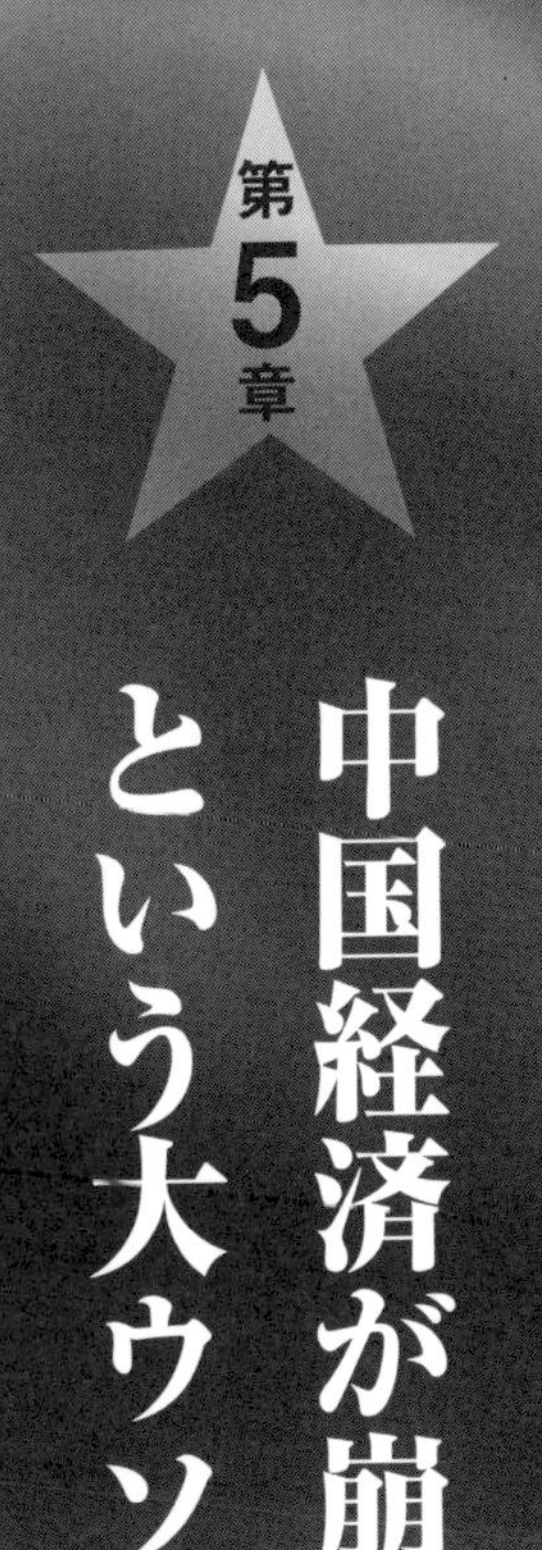

中国経済が崩壊するという大ウソ

ファーウェイ Mate 60 pro の衝撃

米中の〝半導体戦争〟については、私の最新刊の金融本『金融恐慌が始まるので金は3倍になる』（祥伝社、２０２３年12月初旬刊）のほうで詳しく書いて説明した。だから、この半導体（セミコンダクター）のシ烈な開発競争の全体像については、この本ではやらない。この本では、さらにその後の最新の知識、情報を解説する。

中国の最先端企業ファーウェイ（Huawei、華為技術。正しくはホアウェイだと思うが。本社、広東省の深圳）が、急に表に出てきた。この5年間、２０１８年からの米中貿易戦争（トランプ政権が始めた）で、アメリカに厳しく抑え込まれていた。スマホ市場（世界で年に12億台売れる）で激しく減益して、ファーウェイ製は年６０００万台にまで大きく落ち込んでいた。

アップルの株価が、ニューヨークで5%下げた（9月7日）。理由は、「中国政府が、公務員は、アップル社製を使うな」と命令を出したからだ、とされた。だが、このＣＮＮやロイターの記事は、虚偽だったことが判明した。中国政府は、そのような下手な手は使わない。そんなことをしたら、相互主義（レシプロシティ）。仕返しで、中国製スマホがアメ

アメリカは半導体戦争に敗れた。中国の最先端のスマホに、台湾製の7ナノの半導体製造の技術が、密かに流出した

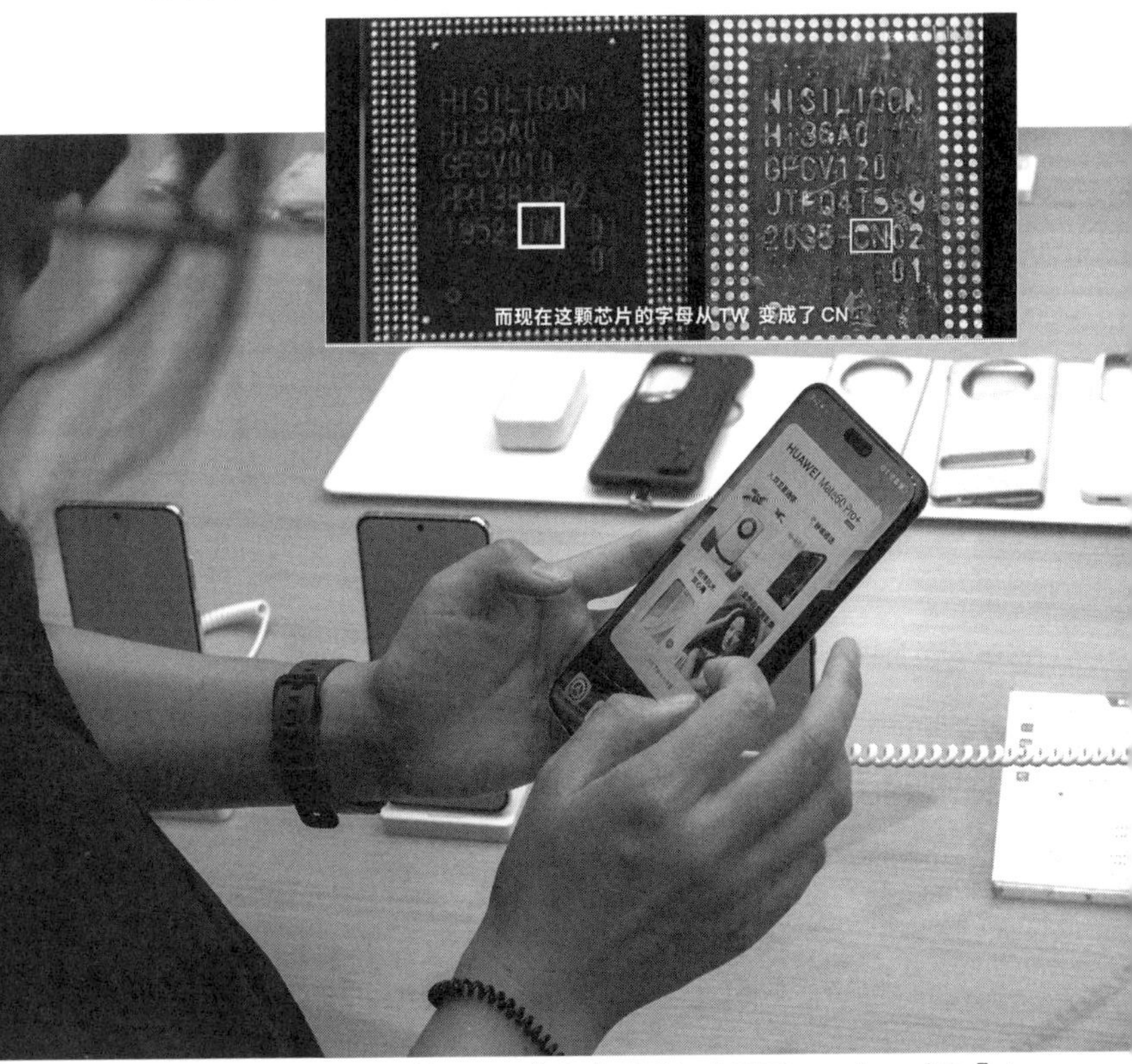

北京のファーウェイショップで、客が手にするファーウェイの「メイト60プロ」。売り切れ店が続出した。使われていたロジック半導体には、台湾製を示す「TW」とあったが、それが「CN」(チャイナ)に書き換えられている。

リカとヨーロッパで売れなくさせられる。

やはり、8月29日に、深圳でファーウェイが、最新式の7ナノ半導体を搭載したMate 60 pro を発売したことが大きい。その打撃が、アップル製の売り上げ減少で打撃を与えたのだ。

はっきり書くと、ファーウェイ（華為）社の内生小会社である海思（ハイシリコン）が作った「麒麟（Kirin）９０００Ｓ」というＩＣ集積回路（中国語では積体電路）であるとわかっている。世界中の専門家たちが大慌てで、「謎のチップ」とか言って、Mate 60 pro の発売その日に、徹底的に分解して調べた。

一番初めには、ＳＫハイニクス社のフラッシュメモリー半導体が使われている、と言われた。西側の半導体の技術者たちにとって、この mate 60 pro の、7月29日の突如の発売は相当な衝撃だった。

アメリカ商務省（コマース・デパートメント）が指令本部になって、２０１８年から5年間の対中国半導体封じ込め（中国包囲網）をやって来た。対中の貿易戦争の戦略が、ファーウェイの新しいスマホの発売で一気に壊された。米商務省は、自分たちの失態、敗北が明らかになって、新しい規制（制裁）をかけられなくなっている。内部で幹部たちの責任問題になっている。

「ファーウェイ、米制裁にも（かかわらず）やり遂げた」「iPhone（アイフォン）と同水準」の製品に米専門家ショック」

中国通信装備メーカー最大手のファーウェイが先月（8月）29日、スマートフォン「メイト60プロ」を発表した。

同社は、異例の新製品を公開しながらも、どのようなプロセッサが使われ、何世代移動通信が可能なのかなど核心部分の特徴を明らかにしなかった。ワシントン・ポスト紙は、ファーウェイの製品公開が、レイモンドウ米商務長官が米国の対中半導体制裁と高率関税などの懸案を話し合うため訪中したタイミングで（絶妙に）行われた点に注目し、「米国の制裁に対する『抵抗の表現』とみられる」と評価した。

中国メディアと業界消息筋の話を総合すると、同製品には中国が独自に生産した7ナノメートル（ナノメートル＝10億分の1メートル）プロセスの半導体が使われた。この半導体は中国の半導体企業ＳＭＩＣ（スミック）が生産した。また、第5世代移動通信（５Ｇ（ファイブジー））

チップが搭載され、一部購入者がベンチマークテストを実施した結果、同製品の性能は他の最新5Gスマートフォンと似た水準だと分かった。

メイト60プロに搭載された7ナノプロセスの半導体は、2018年に発売されたアップルのiPhoneに使われたチップの技術と同水準だという。

現在台湾のTSMCが製造中の最新iPhone用チップは、4ナノプロセスで製作されたという。

米国の専門家らは「米国の高強度制裁にもかかわらず、中国が先端半導体を独自に設計・生産したこと自体が衝撃的だ」と同紙に伝えた。コンサルティング会社オルブライト・ストーンブリッジ・グループのポール・トリオロ上級副社長は、「メイト60プロの登場は米国の技術がなくても西側の最先端モデルほどではないにしても、（中国企業が）相当な水準の先端製品を作れることが立証された。これは地政学的に大きな意味がある」と話した。

（ハンギョレ新聞　2023年9月4日）

中国の勝利に終わった半導体戦争

米中の半導体の激しい開発競争で、どうやら中国が勝ったようだ。7ナノのロジック半導体を中国は自力で作れるようになった。ということは、さらに2ナノまでも作れる。従来使っていた中国製の露光装置（フォトリソグラフィ）を、自分たちで徹底的に改良したようだ。

この露光装置（回路の焼き付け機）は、その頭にDUV（深紫外線）というコトバが付いている。ディープ（深い）ウルトラヴァイオレット（紫外線）の超微細加工ができる焼き付け機なのだろう。私には、これ以上詳しいことは分からない。

ファーウェイ（華為）と海思（ハイシリコン）は、後述するTSMCとSMICからこの超微細加工の技術を極秘で貰って、さらにこれまでの露光装置とは違う別の露光装置を作ったようだ。そうしないと、TSMCに2ナノの設計デザインを全面的に生産委託しているアップルの特許を侵害することになる。特許侵害がバレたら、アップルと米商務省が烈火のごとく怒って、ファーウェイは叩き潰される（解体される）ところまでゆく。

だから、ファーウェイ（華為）とハイシリコン（海思）は、アップルのスマホ半導体の特許(パテント)の束を回避する、全く別の7ナノの半導体を作る、特別な別個の製造技術を作り出した、ということだ。そのために、P199に載せる中国人の3人の天才半導体作り技術者がいる。

このことを私がもっと分かり易く説明してみよう。50年前のフォトコピー機の技術は、米ゼロックス社が世界中で特許(パテント)を独占していた。だから、私たちが学生の頃、ゼロックス社のレンタルコピー機で、「コピー1枚50円」でフォトコピーをしていた。このゼロックス社から、〝シリコンバレー〟は生まれたのだ。サンフランシスコの南30キロのパロアルトという町で、である。それとIBM社である。

ところが、日本のキャノンが1970年に、このゼロックスの特許群をかいくぐって、迂回(うかい)して、それに抵触しないフォトコピー機の製造技術を自力で作った。そして、ゼロックス社が起こした特許侵害の裁判にも負けなかった。だから、キャノンが今のような大企業になったのだ。

これと同じことを、7ナノの半導体作りで中国が成し遂げたのだろう。アップルの特許

TSMCの創業者で天才経営者、張忠謀(ちょうちゅうぼう)(モーリス・チャン、92歳)が、7ナノレベルの半導体技術移転で、やはり中国に協力していた

モーリス・チャンは浙江省寧波(ニンポー)市生まれ。2020年2月、タイのバンコクで開かれたAPEC(エイペック)に台湾代表として参加し、習近平に近寄り「愉快で礼儀正しいやり取り」を交わしたという。彼は習近平と仲がよく、祖国中国との関係を重視している。この事実をいくらアメリカが嫌っても、モーリス・チャンをいじめることはできない。

と、よく似てはいるが、異なる（違う）製造技術を発明（invention インヴェンション）したのである。これ以上の細かいことは、私には分からない。

2018年からの半導体戦争（貿易戦争）で、トランプ政権の商務省（Commerce Department）が「アメリカは中国を封じ込める（コンテインメント）ことができる。最先端技術は中国に絶対に渡さない」と決断して、ファーウェイをいじめまくった。その他の中国の通信会社たちにもだ。

中国はたじたじだった。しかし、それから5年経（た）った。深圳で8月29日に Mate 60 Pro をドカンと発売した。丁度このとき、北京に来て交渉していたアメリカのレイモンドウ商務長官（女）が、真っ青になって、逃げるように帰っていった。

この後（あと）、遅れてアップルが9月22日に、iPhone 15 という新商品を出した。20万円くらいする高級品だ。いろいろ新しい機能（アプリ）が付け加わっているのだろう。

しかし、客たちからはそっぽを向かれた。あまり売れていない。特にゲーム好きの、しかも、最先端ゲームを高効率（ハイスピード）で楽しみたい若者たちに受けなかった。それよりは、ファーウェイの Mate 60 Pro のほうに人気が集まった。どうも、アップルの iPhone は、ずっと使っていると熱が出て熱くなるらしい。

この3人が中国の自前の半導体の製造の復活の立役者である

張汝京（ちょう・じょきょう）
TI→TSMC→SMIC創業。中国半導体の父

1948年、南京生まれ。中国で共産党政権が誕生後、一家で台湾に脱出。台湾大学を卒業後，サザンメソジスト大学で博士号を取得。77年、テキサスインスツルメンツ（TI）に就職し，97年に台湾に帰国後，世大（せだい）積体電路を設立した。2000年、TSMCに買収されると中国に渡り、同年、上海市政府の資金で中国初の半導体企業SMIC（中芯（ちゅうしん）国際集成電路製造）を設立した。

蔣尚義（しょう・しょうぎ）
TI→HP→TSMC→SMIC副会長

1946年、台湾生まれ。台湾大学卒業後、74年スタンフォード大学で博士号を取得。米半導体のテキサスインスツルメンツとヒューレッドパッカード（HP）で働いた後、97年に台湾に戻り、TSMC副総裁に就任。2016年にSMICに入社し､2020年には副董事長（副会長）に就いた。

梁孟松（りょう・もうしょう）
TSMC→サムスン→SMIC最高経営責任者

1953年、台湾生まれ。成功大学で修士号を取得した後、88年カリフォルニア大学バークレー校で博士号を取得。米半導体のAMDを経て、92年TSMCに転職。TSMCの半導体チップの縮小化に成功すると、2011年サムスンに転じて副社長に就任。その後、17年にSMIC共同首席最高経営責任者（CEO）兼執行理事に就任した。

こうやって、7ナノの壁が打ち破られた。しかも中国は、それを新しい違う露光装置で作った。SMICという会社のものだ。

始めに出た、どうもSKハイニックスのフラッシュメモリが使われているようだ、という議論は、このあと消えた。SKハイニックスは黙りこくっている。

「年俸2億円、ファーウェイ最新スマホに搭載された〝謎の半導体チップ〟を実現させた天才エンジニアの正体」

中国の半導体業界から救世主と呼ばれる、台湾出身の人物が2人いる。半導体受託生産の世界最大手・台湾積体電路製造（TSMC）出身のエンジニアである、梁孟松氏と蔣尚義氏だ。

梁は台湾の国立成功大学電機工程学系で修士号を取得した後、カリフォルニア大学バークレー校で電子工程博士号を取得。米の半導体大手のAMD（アドバンスト・マイクロ・デバイセズ）、そして前出のTSMCを経て、サムスン電子R&D社の副社長を辞めた後、2017年にSMIC共同首席最高経営責任者（CEO）兼執行理事に就任した。

梁は、２０１７年にＳＭＩＣに入社すると、わずか３００日足らずでそれまでの28ナノから14ナノを実現させた。さらに14ナノチップの歩留まりを、３％から95％へと高めて量産化の道を拓いた。「中国半導体の救世主」とされている。

蔣もかなり重要な鍵を握った人物だ。台湾大学卒業後、プリンストン大学とスタンフォード大学で博士号を取得。米半導体のテキサスインスツルメンツ（ＴＩ）と、ＰＣメーカーのヒューレッドパッカード（ＨＰ）で働いた後、１９９７年に台湾に戻り、ＴＳＭＣの研究開発（Ｒ＆Ｄ）部門副総裁に就任。２０１６年にＳＭＩＣに入社し、２０２０年には副董事長（副会長）の重職に就いた。

彼は、ＴＳＭＣのＲ＆Ｄ副総裁時代から、オランダの半導体製造機器のＡＳＭＬ（引用者注。ヨーロッパ最大の電器メーカーであるフィリップスの子会社）との関係が深かったとされる。米国による厳しい半導体規制下であっても、線幅の微細化に不可欠となる極紫外線リソグラフィ（ＥＵＶ）や、その前世代装置の深紫外線リソグラフィ（ＤＵＶ）が、彼を通じて入手可能になったとされる。

ファーウェイが、最新スマホに搭載した７ナノチップの製造を、このＤＵＶで多重露光させる独自の技術で実現させた可能性が高いとされている。この裏に、2人の天才エンジニアたちの暗躍があったことは否めない。

（現代ビジネス　吉沢健一　2023年11月5日）

この文の「ファーウェイが……独自の技術で実現させた」のところが重要である。

半導体製造にまで進出するSBI

TSMCの陰に隠れて目立たないが、次のような小粒の半導体の開発の話もある。

「SBI、準備会社を設立　台湾の半導体受託PSMCと」

SBIホールディングスは、2023年7月5日、台湾の半導体受託生産大手、PSMCと日本で工場の設立に向けた準備会社を設立することで基本合意したと発表した。今後、準備会社を早期に設立し、工場の立地選定や資金調達、事業計画を策定す

アメリカの意向でSBIの北尾と半導体受託生産世界6位の台湾PSMCが手を組んだ。しかし更に一枚めくると、親中国である。

SBIホールディングスが、台湾の半導体受託製造（ファウンドリー）大手の力晶積成電子製造（PSMC）と計画する半導体新工場の立地が宮城県内に正式に決まった。自動車や産業機器向けの回路線幅が40ナノメートルおよび50ナノメートルの半導体を、2027年から300ミリメートルウエハー換算で月間1万枚生産する。ただし、SBIの北尾吉孝会長兼社長（右）は「補助金がでなければこの事業をやるつもりはない」とクギを刺した。（日本工業新聞　2023年11月3日）

る。SBI（ソフトバンク・インベストメント）HDは、資金調達や工場の立地選定、政府の補助金や税制上の優遇措置などを助言する。

PSMCは半導体受託生産で台湾3位、世界シェア6位。日本の新工場では回路線幅が40ナノメートル、55ナノメートルの車載用や産業用の半導体を生産する。将来的には3次元積層や28ナノメートル以下の高付加価値の半導体を生産する計画だ。国内で半導体の研究所の設立も検討する。

SBIHDの北尾吉孝会長兼社長は、7月5日に都内で開いた記者会見で「（半導体産業と）金融業が結びつくことは意義がある。資本調達などで貢献できる」と述べた。北尾氏は「日本の半導体産業の復興に力を入れたい」と意気込んだ。

（産経新聞　2023年7月5日）

SBI（ソフトバンク・インベストメント）の北尾吉孝は、SB（ソフトバンク）の孫正義と仲が悪そうにしているが、本当は裏側でつながっていて、共に中国政府やアリババの馬雲（ジャック・マー）と同じ動きをしている。彼らは、日中両政府を巻き込んだ、次のビジネスの話をしている。即ち、親中国である。

アメリカが80年代に叩き潰した日本の半導体産業の真実

コンピューターや電気製品、自動車に使う半導体は6種類ある。一番古いのが、今もソニーとかが作っている、①アナログ半導体。昔ながらの半導体だが、これもあらゆる工業製品に不可欠だ。そして現在、②のロジック半導体の開発戦争をやっている。ナノ競争だ。

その他に、③パワー半導体というのがある。これで自動車などの動力機を動かす。あとは光学系のソニー、松下（パナソニック）、ニコン、キヤノンが持っている、工場管理用から始まった④センサー半導体。これは、人間の顔認証（かおにんしょう）にも使われて、監視用カメラになった。自動運転自動車（AV（オウトヴィ））には、このセンサーが山ほど積み込まれている。光学系の半導体だ。

そして⑤は、半導体製造装置だ。東京エレクトロンやTDKの日本企業が強い。そして、最後が、⑥フラッシュメモリという記憶保存半導体（メモリー）である。これを作ったのは東芝の技術者（のちに東北大学教授）の舛岡（ますおか）富士雄という天才技術者（現在80歳）である。

舛岡富士雄は、本当にヒドい目に遭った。日本が世界に誇る「フラッシュメモリ半導体」の生みの親なのに、少しも大事にされないまま、現在に至っている。賞だけはたくさん貰ったが、舛岡は今も不遇のままだ。

日本の国策電子会社だったエルピーダメモリ社が、２０１２年に無理やり破綻させられた。坂本幸雄という大変優秀な経営者がいた。この２０１２年に、日本はアメリカに完璧に負けて、希望がなくなった。もう日本の電機メーカー10社は、どうしようもなくなった。

その前に27年間にわたって、第３次日米半導体協定まで結ばされて、日本の電子産業はアメリカに完全に叩き潰された。それまでは、ＮＨＫの特集番組の「電子立国・日本」とか「産業のコメ・半導体で日本が世界をリードする」とかで、有頂天になっていた。

日本への攻撃が始まったのは１９８５年だ。この年、ＮＥＣが半導体製造と販売で世界一になった。この年に、米インテルがＤＲＡＭ（ディーラム）から撤退した。日本に太刀打ちできなかったからだ。

翌年１９８６年から、アメリカによる日本の半導体メーカーに対するダンピング提訴で、日立とＮＥＣ、富士通がアメリカの裁判所で次々に訴えられた。アメリカのモトローラとＴＩ（テキサス・インスツルメンツ）の特許を「泥棒したの、盗んだの」と、アメリカは日本叩きを激しくやった。日本の電子産業を抑えるつけるために、一方で台湾と韓国の半導体産業を育てた。日立の社員を捕まえることまでした。表面上は「ロンヤス関係」で、ロナルド・レーガン大統領と中曽根康弘首相が和気藹々とやった。

アメリカは、韓国と台湾に70年代から半導体と電子部品の技術移転をした。留学生たちに、気前よくなんでも持っていかせた。それが現在のサムスンとＴＳＭＣである。

私は当時、『日米逆転』（ダイヤモンド社、１９８８年刊）'Trading Places'「トレイディング・プレイス」（さあ、それでは立場を入れ替わって見ましょう、の意味）という本をきちんと読んだ。著者のクライド・プレストウィッツは米商務省の官僚で頭のいい人で、ＣＩＡとはケンカしていた。彼は本当は日本に同情して、日本の肩を持っていた。

プレストウィッツは、半導体の交渉官として日本にやってきた。〝ジャンパン・バッシャー（日本叩き）四天王〟の１人と言われた。だが、それはウソだ。本当はプレストウィッツを入れて４人の日本叩きの四天王（カレル・ヴァン・ウォルフレン、ジェームズ・ファローズ、チャルマーズ・ジョンソン）は、日本研究の専門家として、日本の肩を持っていた。

真実は逆だった。日本の肩を持っている親日家と呼ばれた日米人脈のアメリカ人たちこそが、日本の先端産業の、これ以上の成長を抑えつけて、アメリカに屈服させようとしたのだ。私は、これらのことも自分の本に書いてきた。

ハーヴァード大学ライシャワー・センターの日本研究学者(ジャパン・ハンドラーズ)たちこそが、ワルだった。

プレストウィッツは、日本は理不尽(りふじん)な目に遭っていると、それとなく日本側に教えてくれたのだ。35年前にこの本を読んでいたから、私は今の全体の流れも分かる。

DRAM(ディーラム)のことは私はよく分からないけれども、今でもDRAMを作っている。前述した日本の国策会社（経産省が電機メーカーたちから人材を結集した）であったエルピーダが、DRAMの大変優れた製造装置を作っていたのだ。エルピーダが、2012年に破綻させられて、これをアメリカのマイクロン・テクノロジー社が買収して、その製品は全てアメリカへ輸出している。マイクロン・テクノロジーの広島工場だ。

日本人が作った革新的な技術

前述（P205）した半導体の⑥番目のフラッシュメモリを作ったことで本当に偉いのは、舛岡富士雄(ますおかふじお)という東芝の技術者だ。東北大の天才学者、西澤潤一(にしざわじゅんいち)の教室出身で、今80歳。

この人が一所懸命、最初、NOR(ノア)（not or(ノット オア) の意味）型(がた)のフラッシュメモリを1980年に作った。その後、１９８６年にＮＡＮＤ（not and の意味）型フラッシュメモリも作った。
フラッシュメモリのフラッシュ flash とは、物理学用語で「流れが切れること。切断されること」だ。電流が途切れても情報が残る。簡単に言えば、現在の持ち運びができるＵＳＢのことだ。ＣＤでもいい。電子の流れが切れても情報が保存できるという新技術だ。そこに命がある。

フラッシュメモリという言葉も、舛岡自身が作った。ＮＡＮＤ型というコトバもそうだ。これが今では世界で通用している。和製英語で初めはヘンだったソニーの「ウォークマン」や「ＰＣ」並みである。だから舛岡富士雄の業績は、明らかにノーベル賞級なのだ。それなのに、今も彼は完全に無視されている。きっと、何かここには秘密があるのだろう。

ＮＡＮＤとは、もっと正確には Not A and B nor A or B だろう。合わせて not And だ。このＮＡＮＤのことを、普通の人が分かるように、専門家たちが説明してくれない。だから、私がする。以下の簡潔な説明は、ゆくゆく私の業績とされるだろう。

コンピューターは、２進法で、０と１だけでできている。あるいは、ＡかＢか、ＡかつＢかだ。Ｃはない。このことは、２４００年前にアリストテレスが決定して以来の、古代ギリシアフィロソフィー（✖哲学。本当は、〇愛知学）だ。

これがフィロソフィーの伝統のロジックスだ。アリストテレス論理学以来の伝統で、西洋人は現在に至るまで、このAかBか、しかない。あるいはAかつBである。これしかない。そうすると、西洋人が何かを決める時、コイン・トス coin toss と言って、コインを宙に上げて、それを手の甲で受けとめる。コイン（硬貨）の表か裏かで、AかBかしかない。

ところが、我々アジア人には、「じゃん、けん、ぽん」がある。あるいは、「ぐー、ちょき、ぱー」の3つがある。だから三体問題というのを、私は前の本で書いた。物理学の三体（スリー・ボディ）問題は、アジア人しか解けない。これと同じことだ。

だから、舛岡が、AかBかではなくて、AでもなくBでもないと。つまり、not and nor で、not or だ。これとNANDという新しい論理学（ニュー・ロジックス）を作って、これに基づいてフラッシュメモリ半導体を作った。

今も、このNAND型を作ることができたのが、東芝の子会社として分離した東芝メモリー社だ。現在のキオクシアだ。東芝のフラッシュメモリ部門だった。東芝本体が2018年の経営不祥事で破綻した時に、東芝メモリは売り払われた。この時の代金の1兆円で、東芝の社員たちがゴハン（給料）を食べたのだ。今も東芝本社（最近、日本側が買い戻して、上場廃止にした）が、株の40％を、米ベインキャピタルが50％を持っているようである。

この人抜きで、日本の半導体づくりの歴史は考えられない

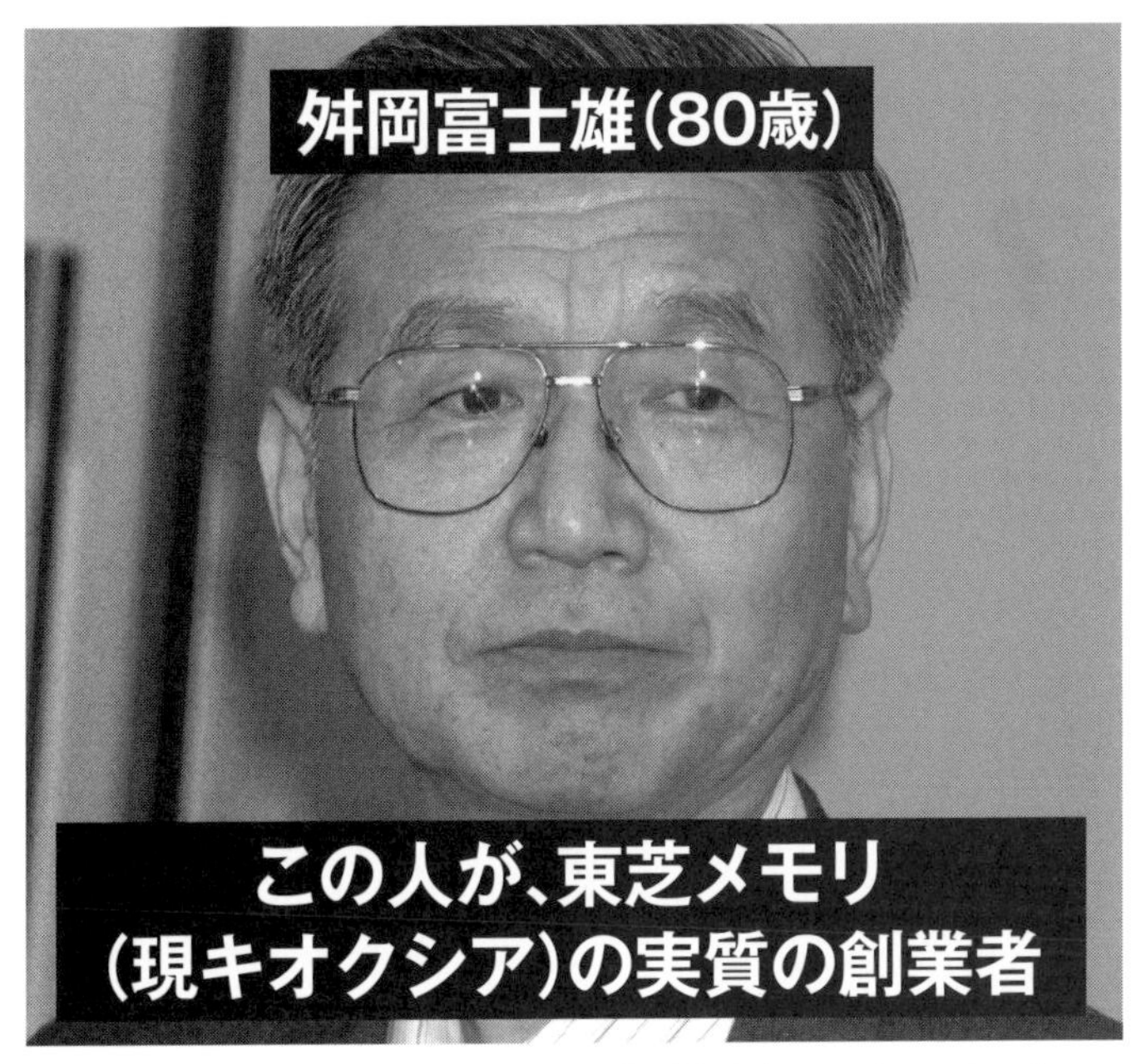

キオクシアを手に入れようと、米中が血まなこで争っている。アメリカのウェスタンデジタル社が買収に失敗した。韓国のSKハイニックスがしつこく狙っている。裏に中国がいる。

舛岡富士雄の経歴。1943年群馬県高崎市生まれ。62年東北大学工学部に入学し、西澤潤一に師事。71年同大学大学院修了、工学博士取得後、東芝に入社。80年NOR（ノア）型フラッシュメモリ、86年NAND（ナンド）型フラッシュメモリを発明。94年同社退社、東北大学大学院教授。2004年日本ユニサンティスエレクトロニクス株式会社最高技術責任者（CTO）。

四日市に工場がある。

ここの株式をSKハイニックス（韓国）が15％持っている。そして米ウエスタンデジタル（WD）と争っている。このWDがキオクシアの株を、この10月に全て買収しようとしたが失敗した。

SKハイニックスの後ろに中国がいるからだ。中国は、⑥のフラッシュメモリの技術と特許をどうしても欲しい。アメリカは渡したくない。この闘いを今もやっている。

量子コンピュータは東アジア人しか作れない

いよいよ日本人、韓国人、中国人しか、量子コンピュータ（quantum computer クアンタム・コンピュータ）は作れないという段階に来た。この量子コンピュータの理論にまで、舛岡富士雄の天才がつながっている、と私は思う。

無理やりIBMが、「うちの量子コンピュータを日本に1台200億円で売ってやる」と言った。IBMの最新式のものは127Q（クアンタム）ビットだ。

ところが、その前の64Qビットを、中村泰信（理研の開発責任者）が、1999年に史上初めて作っている。だから、「何を言っているんだ」という話である。日本の理研と富士通で自力開発できる。さらに東工大の開発者たちもいる。ここには、中国人や韓国人の研究者が入っている。このことをアメリカが嫌っている。だから、「ＩＢＭ製のを買え、買え」と言っている。

五神真という、東大総長のあと、今は理研の理事長になっている男が、甘利明という自民党の衰退議員と共に、アメリカの手先をやっている。この２人は、量子コンピュータの開発者の間で笑い物になっている

アメリカが敗れ去った量子暗号通信技術戦争

このことも私は、前の中国本で書いたのだが、電子暗号通信（軍事通信用の最高技術になる）の激しい開発競争がある。ここでもアメリカは負けたようだ。２０１７年に、ウィーン大学のツァイリンガー博士――ノーベル物理学賞をこの間（２０２２年10月）もらった――と、中国側の中国科学技術大学の潘建偉教授が、墨子号という量子通信用の専用の衛星を使って、量子暗号通信の実験に成功している（7月29日）。

最も機密性の高い軍事用通信だから、少しでも外から侵入されたら、すぐに溶けて流れるらしい。一瞬で消える。軍隊が動くときは通信が一番大事だ。今は暗号解読はdecipher デサイファーと言う。デコードとは言わない。情報がデサイファーされたら、その国は戦争に負ける。だから、ドイツと日本は負けた。今回は、この量子暗号通信で、アメリカは負けたみたいだ。

アメリカは、ニューヨークとフィラデルフィアの間で、インターネット回線を使って（笑）、この量子暗号通信の実験をやっていた。これらがうまく行かない。それで、アメリカが何を次にやり出したか、と言うと、「日本のＮＴＴの量子コンピューター技術に参加、参入する」と言いだした（笑）。

アメリカが何を言っているのかと言うと、要するに「白人では量子（クアンタム）コンピュータは無理だ。量子暗号通信と量子コンピューター作りは、アジア人しかできない」ということだ。これが現在の人類の最先端問題だ。

これらは、全体ではまとめて電子デバイスと言っていい。半導体もデバイスの一種だ。この戦争（競争）でアメリカは負けた。だから、その司令本部だったアメリカ商務省の責任問題が内部で出ている。今さらファーウェイをいじめるとか、中国の紫光（しこう）集団を封じ込めると言ったって、もう無理だ。

　サムスンだって大きくは中国側とつながっている。サムスンの西安（シーアン）工場のそばに紫光集団の半導体工場もある。だから、アメリカがサムスンの本社に命令して、「絶対に動くな。ちょっとでも中国の肩を持ったら、許さん」という状態が今も続いている。これが、いつ決定的に崩れるかの問題にすぎない。

　これは前述したＴＳＭＣのモーリス・チャン（張忠謀（ちょうちゅうぼう））が、本当はアメリカが大嫌いだから、バイデン大統領と握手もしなかった。１５０億ドル（２兆円）も出させられて、アリゾナ州にＴＭＳＣの半導体工場を作らされたことで怒っている。補助金（サブシディ）も出さなかった。かつ、ＴＳＭＣの製品を中国に売れなくさせられている。

　モーリス・チャンは、Ｐ１９７の写真の解説の通り、習近平とタイやらで会って、親しく握手して、言葉を交（か）わしている。ゴニョゴニョと中国人にしか聞き取れない、訳（わけ）の分からないコトバを使い合ったはずだ。つまり、やっぱり大きくは台湾が中国の23番目の省になるという方向で進んでいる。だから、ＴＳＭＣの奪い合いだ。

　もっと言おう。今の世界最大企業はアップルだ（Ｐ２１７の図表）。株式の時価総額で約３兆ドル（４５０兆円）有る。だけれども、アップルのアイフォンを作っているのは、１

００％中国だ。中国中のたくさんの企業が、サプライチェーンとして作っている電子部品を組み込んで作る。最後の仕上げを鴻海精密工業（ＦＯＸＣＯＮＮ。創業者郭台銘、テリー・ゴウ）がやっている。

　前述したように、アップルのiPhone 15が、9月22日に発売された。大きくお披露目をやったらしい。だが、今回の発表は、世界中のスマホ好きが鼻もひっかけないみたいな感じになった。ただ、このiPhone 15は、４ナノぐらいで動くからスゴい。

　だから熊本市から阿蘇に向かう処の、菊陽町のソニーの工場用の土地にＴＳＭＣが工場を建てた。ＴＳＭＣにしてみれば、アメリカの命令で工場を作らされた。このＴＳＭＣ熊本工場では「７ナノより上を作ってはいかん」ということになっている。トヨタが、「ウチは自動車用だから、20ナノぐらいでいいよ」と言った。それでオウケーが出た。

　遠藤誉女史の文章の中に書いてあった。何でそんな線幅を、10億分の1単位（ナノ）というところまで小さくして、半導体を作らなければいけないか。それは、スマホが電流の量を極小にしないと電気抵抗が生まれて、熱を持ってしまう。極限にまで新しいゲーム用のアプリを利用者が入れたがる。だから、極限までの製品競争になる。

　遠藤誉女史が、この簡単な真実を教えてくれた。私が毎日使っているＰＣだと、過熱し

ニューヨークの株式市場は暴落前夜である。もうこれ以上、アメリカ政府の株価操作で、市場を維持することはできない

世界最大企業の一覧表(2023)

順位	銘柄	国	株式時価総額
1	アップル	アメリカ	2.7兆ドル（400兆円）
2	マイクロソフト	アメリカ	2.5兆ドル（380兆円）
3	サウジアラムコ	サウジアラビア	2.1兆ドル（310兆円）
4	アルファベット	アメリカ	1.5兆ドル（230兆円）
5	アマゾン	アメリカ	1.3兆ドル（200兆円）
6	エヌヴィディア	アメリカ	1兆ドル（150兆円）
7	メタ・プラットフォームズ	アメリカ	7,600億ドル（110兆円）
8	バークシャー・ハサウェイ	アメリカ	7,200億ドル（110兆円）
9	テスラ	アメリカ	6,500億ドル（100兆円）
10	イーライリリー	アメリカ	5,300億ドル（80兆円）
13	TSMC	台湾	4,500億ドル（68兆円）
19	テンセント	中国	3,500億ドル（53兆円）
24	サムスン電子	韓国	3,300億ドル（50兆円）
26	貴州茅台酒	中国	2,900億ドル（44兆円）
35	トヨタ自動車	日本	2,400億ドル（36兆円）
41	中国工商銀行	中国	2,200億ドル（33兆円）
43	アリババ	中国	2,100億ドル（32兆円）
54	ペトロチャイナ	中国	1,800億ドル（27兆円）

2023年10月24日現在の世界の大企業の株式時価総額の番付表（ばんづけ）（レイティング）。アジア勢の最高は13位のTSMC（台湾積体電路（せきたいでんろ）製造）である。アメリカが主導するAPEC（エイペック）会議に毎回、台湾代表として出席するTSMCの張忠謀（モーリス・チャン）は、中国に半導体を売るのは自由だ、と怒っている。

てフウフウ、空冷式のファンが回転する。それでも壊れないらしい。フウフウ吹くだけで済んでいる。スマホはそういうわけにはいかない。スマホが熱くなると、それは欠陥商品である。だから異常なまでのナノ競争になる。

EVという幻想

私は電気自動車（EV）を買うな、とはっきり書く。今のEV（エレクトリック・ヴィークル）は、スマホと全く同じリチウムイオン電池を使っている。これを1000キログラム（1トン）とかを、車の底に積載している。

リチウムイオン電池の開発を、もう20年もやっている。それなのに、今ものすごくノロノロの開発速度だ。みんな、今も毎日毎日スマホを充電している。だが、2日も持たない。手に持って動くスマホの微弱電流でさえ、今でもこれくらい遅れた技術のままだ。これが、自動車でも同じものが使われているのだから、EVというのはロクなものではない。2トン近い重さの電池を載せた、テスラモーターのEV高級車のテスラSも走っている。

こんなもの、あと10年で無くなるのではないか。やっぱり自動車は、ディーゼル（軽油（ゆ））あるいはガソリンで走るのが一番理屈に合っている。ただ、これからは排ガス問題があるから、水素（すいそ）自動車、あるいは燃料電池（フューエル・セル）自動車である。トヨタが、やっぱり全てを見越していたということになる。

トヨタの会長の豊田章男（あきお）のことを、「ＥＶをやらないバカ会社だ」と、愚かな自動車評論家たちが、さんざん悪口を言い続けた。この自動車評論家たちは、自分たちの知恵（知能）の足りなさを恥じて、全員丸坊主にならなければいけません。このことは大事なことだと私は思う。

トヨタは、ＥＶもやるふりだけは、ずっとしてきた。実際に燃料電池自動車の「ミライ」を作って売ってきた。ただし、それよりは全個体（ぜんこたい）電池の開発でトヨタが、たくさん特許を取った。出光（いでみつ）と一緒に、だ。

トヨタはＥＶ（電気自動車）の技術もいっぱい持っている。これからは、水素電池というか、水素自動車の勝ちだ。すでに水素ステーションがどんどんできている。ただし、水素タンクの移動に一点だけ問題があるらしい。

ＧＡＦＡＭ（ガーファム）という言葉は今も使われるから、私も使う。通信業界の世界最大であるアップルとアマゾン（ネットショップだが特許をたくさん持っている）とフェイスブック、それからグーグルと最後にマイクロソフトが来る。「これから、こいつらはどうなるのか」という議論もしなければいけない。

グーグル（電子機器は全く作らない。ソフトだけ）が一番。グーグルは持ち株会社が「アルファベット」と言う。次がマイクロソフト（MS）だ。特許だけをいっぱい持っていて、「ウインドウズ」というコンピュータのOS（オウエス）も持っている。私が使っているメイラーは、グーグル「クローム」（Gmail）ではなくて、今も旧式のマイクロソフトの「アウトルック」だ。

その次のフェイスブックはMeta（メタ）という名前に変えた。ここは、ハーヴァード大学の同窓会名簿から始まった会社だ。それが、今のSNS（ソウシアル・ネットワーク・サービス）を生んだから、SNSを守っている程度だ。メタも特許をたくさん持ってはいるが、主力がSNSだけだともうすぐ、世界競争で落ちこぼれるだろう。

テスラモーターのほうが、フェイスブック（メタ）よりも早く株式時価総額1兆ドルを達成した。これらのGAFAプラスMSの株をいっぱい持っているのがバークシャー・ハサウェイという投資会社で、創業者のウォーレン・バフェット（93歳）がまだ活動している。

TSMCの奪い合いこそが「台湾有事」の本態

アメリカのNVIDIA(エヌヴィディア)が急激に成長した。ここは画像処理半導体(GPU Graphics Processing Unit)と動画配信の技術を持っている。これがスマホに使われるから、NVIDIAが急激に大きくなった。この会社のオーナーは、ジェンスン・ファン(黄仁勲、60歳)という台湾人だ。だけど、ここもファブレス(設計デザインだけする)だ。「ファブレスは、これからはだめだ」と私は、はっきり言い切る。実際のモノヅクリmonozukuriができない企業は衰退する。だから、TSMCのような、ファウンドリが勝った。

ファウンドリは、ファブレス(工場なしの意味)からの受託生産会社であり、つまり下請け製造業である。こちらのほうが巨大な企業になった。台湾のTSMCのすごさは、アメリカのファブレスたちが次々と「新規のアイデアの半導体を作ってくれ」と頼んできたものを全て引き受けて、一所懸命、相手の要求どおりに作ったことだ。

ということは、TSMCに、全ての知能と技術と製造能力が溜っている。TSMCを中心に、今の半導体戦争は動いている。まだ、米インテルが2ナノまで作れる、と豪語しているが、これも怪しい。

だから、このTSMCの米中による奪い合いこそが、「台湾有事」と言われているものの本態(ほんたい)であり真実である。

前にも書いたとおり、モーリス・チャン(張忠謀)は習近平と仲良くしている。アップルのスマホの100%を作っているフォックスコン(鴻海(ホンハイ))の創業者の郭台銘(かくたいめい)(テリー・ゴウ。グオ・タイミン)が、台湾総統選挙に無所属で出ており、支持率12%を持っているが、出馬を諦(あきら)めた(11月24日)。国民党(グオミンダン)は中国共産党と蔣介石(ジョングオゴンチャンダン)の時代から、ずっと戦争をしてきた。だから中国共産党としては、国民党はもう要らない。

台湾民衆党の柯文哲(かぶんてつ)(若者に人気がある)が出てきて新しい総統になって、それを郭台銘が副総統で支えるという形が一番いいのだが、この話は壊れた(11月24日)。鴻海(ホンハイ、フォックスコン)がアップル・コンピューターを100%を、中国のあちこちの主要都市で作っている。つまり、アップルの時価総額の3兆ドル(450兆円)は中国で生まれている。だから中国製だ、と言えるのだ。GDP(ディー)(国内総生産)ではなく、GNP(エヌ)(国民総生産)という考えに立てばそうなる。

日本はトヨタの株式時価総額は40兆円だ。たったの40兆円だ。これが、500万人くらいの日本人を食べさせている。関連会社も合わせれば、日本のGDPの5%はトヨタが生み出している。これがトヨタのすごさだ。

トヨタは3年前(2020年)に、イーロン・マスクの電気自動車の会社のテスラモーターに時価総額で追い抜かれた。この後、あれよあれよという間に、テスラ株はその3倍の1兆ドル(120兆円、2021年)を超えた。

イーロン・マスクは、この年2021年の11月に、NY市場全体の株価がどーんと上がったときに、個人資産が3152億ドル(35兆円)になった。テスラ株の3割ぐらいを、マスクが持っているからだ。これは歴史上最高の個人資産の金額だ。しばらくは、この金額を抜く人物は現れないだろう。35兆円だぞ。

ただ、現在は25兆円ぐらいに落ちている。イーロン・マスクとアマゾンのジェフ・ベゾスが世界一を競争している。

イーロン・マスクは、スペースXも持っている。このスペースX社は、NASA(米航空宇宙局)の、国家公務員だった技術者たちを引き受けたことで、その身代わりに、NASAが持っていた宇宙ロケット打ち上げ技術や人工衛星の特許を、超(ちょう)安値でたくさん買い取った。

アメリカ政府にとっては、宇宙開発は、もうこれ以上無理だ（やっても意味がない。核ミサイルだけでいい。月には人間は行けない。笑）と分かっている。だから、NASAの一部を民間企業に払い下げした。

「その替わりに、この技術者たちを食わせてくれ」で、イーロンが4000人ぐらいを引き受けた。イーロンは、宇宙通信ビジネスを続けた。安く打ち上げられる人工衛星を、たくさん打ち上げた。それで生き延びている。

小さな人工衛星を、それこそ1000個以上、打ち上げている。1回の打ち上げで、50個くらいの衛星をパラパラと軌道上にバラまく。それが「スターリンク」だ。

だが、イーロンのスペースXでは、宇宙には行けない。月（36万キロも先だ）にさえ行けない。スペースXの最大の成果は（通信以外で）、高速動体の摩擦熱（抵抗）を劇的に減らす技術を手に入れたことらしい。これで、時速3000キロとかの高速の乗り物が出来る、と。

世界を牛耳る通信屋たちの最大の弱点

20年前には世界最大企業は、ＧＭ（ジーエム）（自動車）とシティバンク（銀行）とＧＥ（ジーイー）（電機）、エクソン（石油）とかだった。ところが今は、もう全部入れ替わって、ただの通信屋たちのＧＡＦＡＭが最上位にいる。しかも、この通信屋たちが物流（ぶつりゅう）（商業）までも握った。

アマゾンに特徴的に、ネット書店（ウエブ・ショップ）という形から始まった。たちまち世界中の本の販売網を握った。それから他の物流まで握ったから、すごいことになってしまった。宣伝広告まで握ってしまった。物流と販売と広告業まで握ったから、ＧＡＦＡが強くなった。

このおかげで日本でも、テレビ、新聞、出版が今追い詰められて、悲惨なことになっている。あの電通（でんつう）も危ない。いい気味だ。それでも私はヤセ我慢をして「こいつらは、たかが物流まで握った通信屋じゃないか」と言う。ここで言い切る。彼らはモノヅクリはできない。ここが通信屋ども（bigtech、ビッグテックとも言う）の最大の弱点だ。

それでも文化と教養まで握った。その最たるものが、google の YouTube「ユーチューブ」である。ＣＤとＤＶＤも要らなくなった。紙の本も新聞紙も死につつある。YouTubeで映画と音楽が、世界中のものを全部ほぼタダで見られて聴ける。著作権法（国際条約だ）を叩き潰して、勝手に乗り越えていった。

そして、これの基盤の、土台のところに、半導体と電子デバイスがある。だから、半導体戦争なのだ。ＧＡＦＡＭの下の、土台のところだ。ここが大事な見方だ。

１９４６年に、ＥＮＩＡＣ（エニアック）という一番初期のコンピューターが作られた。その次に、ＩＢＭができて、コンピューターが世界を支配した（70年代）。この時はＩＣと言われた。このあと、１９９５年からのインターネット時代（ＭＳのウィンドウズがＯＳ）が来た。そして、インテル社がＣＰＵ（中央演算装置）を作って、「インテル・インサイド」（インテル入ってる）で、モバイルフォン（携帯）が出来て、それがスマホになった。

ところで、しつこく書くが、Ｐ35の図で説明したように、メタというのは土台、基礎と訳さなければいけない。明治時代にメタフィジカ（Meta Phisica）を形而上学と訳したものだから、バカなことになった。日本の知識層は、その時以来混乱したままだ。

メタフィジカは、物理学のその土台の「学」だ。メタは、アリストテレス以来、土台、基礎だ。佐藤優氏はこのことを理解してくれた。私以外で初めて彼が理解した。それ以外の日本知識人で、このことを理解している人間はまだいない。

あとがき

私が、この本で描きたかったことは、中国がもうすぐ次の世界支配国になる。アメリカ帝国は早晩崩れ（そうばんくず）落ちる。そのとき中国人は、どういう新（しん）思想で世界経営（けいえい）をするか、という課題だ。

今の中国人は、総体としてもの凄（すご）く頭がいい。文化大革命の大破壊のあとの44年間を、ずっと苦労して這（は）い上がって来た。このことが私は分かる。中国（人）は、もうイギリス（大英帝国。ナポレオンを打ち倒した1815年からの100年間）と、アメリカ帝国（1914年からの100年間）の2つの世界覇権国（ヘジェモニック・ステイト）がやった、ヨーロッパ白人文明（ぶんめい）（実は帝国が文明も作るのである）の救済（サルベーション）と博愛（フラターニティ）思想（代表キリスト教）の偽善（ぎぜん）と騙（だま）しによる世界管理はやらない。棚（たな）からぼた餅（もち）が落ちてくる。嫌々（いやいや）ながらの世界覇権国だ。

中国は、カール・マルクスが発見した「賃労働（ウエイジレイバラー）（者）と資本（カピタリスト）（家）の非和解的対立」を何とか、180年ぶりに部分的に乗り越える新思想（しんイデー）で、世界を良導（りょうどう）しようと思っている。それを見つけることができるか。全てはここに掛（かか）っている。私自身の1973年（大学入学、

20歳）以来の丁度50年間のマルクス思想との浮沈（ふちん）、泥濘（でいねい）でもある。

中国は、もう核戦争と第3次世界大戦の脅威さえも乗り越えた。そんなものは怖くない、という段階まで一気に到達した。私は誰よりも早くこのことに気づいた。

何という大ボラ吹きの大言壮語（たいげんそうご）を、と思われることはすでに計算のうちだ。先へ先へ、未来へ未来へと、予言（プレディクション）で突き進まなければ、知識・思想・言論を職業（生業（なりわい））としてやっていることの意味がない。すでに私には、村はずれの気違い（vilage idiot ヴィレッジ・イデオット）の評価がある。私だけは他のどんな知識人たちよりも、大きな言論の自由（フリーダム・オブ・エクスプレッション）を、この国で保障されている。しかも、出版ビジネス（商業出版物）としての信用の枠にもきちんと収まっている。

この本を急速に書き上げるために、ビジネス社編集部の大森勇輝氏の優れた時代感覚に大いに助けられた。記して感謝します。

2023年11月

副島隆彦

著者略歴

副島隆彦（そえじま・たかひこ）

1953年福岡市生まれ。早稲田大学法学部卒業。外資系銀行員、予備校講師、常葉学園大学教授などを経て、政治思想、法制度論、経済分析、社会時評などの分野で、評論家として活動。副島国家戦略研究所（SNSI）を主宰し、日本初の民間人国家戦略家として、巨大な真実を冷酷に暴く研究、執筆、講演活動を精力的に行っている。『習近平独裁は欧米白人（カバール）を本気で打ち倒す』『よみがえるロシア帝国』（佐藤優氏との共著）『ディープ・ステイトとの血みどろの戦いを勝ち抜く中国』（以上、ビジネス社）、『金融恐慌が始まるので　金は3倍になる』『狂人日記。戦争を嫌がった大作家たち』(以上、祥伝社)、『米銀行破綻の連鎖から世界大恐慌の道筋が見えた』（徳間書店）など著書多数。

中国は嫌々（イヤイヤ）ながら世界覇権を握る

2024年1月1日　第1版発行

著　者　副島隆彦

発行人　唐津 隆

発行所　株式会社ビジネス社

〒162-0805　東京都新宿区矢来町114番地　神楽坂高橋ビル5階
電話　03(5227)1602（代表）
FAX　03(5227)1603
https://www.business-sha.co.jp

印刷・製本　株式会社光邦

カバーデザイン　大谷昌稔

本文組版　茂呂田剛（M&K）

営業担当　山口健志

編集担当　大森勇輝

ISBN978-4-8284-2584-9

ビジネス社の本

欧米の謀略を打ち破り よみがえるロシア帝国

副島隆彦
佐藤　優
……著

定価1650円(税込)
ISBN978-4-8284-2449-1

最強の知性がタブーなしで暴く
終わりなきウクライナ戦争の
ウソと真実!

新聞やテレビでは絶対に報じられない
ウクライナ情勢の真相、
欧米、ウクライナ、ロシアの政治経済の状況、
日本の対ロシア政策の進むべき道を、
大激論で明らかにする!

佐藤優
欧米の謀略を打ち破り
よみがえるロシア帝国
副島隆彦
4州併合から核戦争、日本の選択まで
最強の知性がタブーなしで暴く
終わりなきウクライナ戦争のウソと真実!
ビジネス社

本書の内容

第1章　安倍元首相を殺したのは同盟国アメリカである
第2章　日本では絶対に報じられないウクライナ戦争の過去・現在・未来
第3章　「必勝の信念」から始まる戦争分析の大きな過ち
第4章　アメリカとイギリスによる戦争犯罪の恐るべき真実
第5章　ウクライナ戦争を乗り越え復活するロシア帝国